COSAS QUE NADIE TE CONTÓ ANTES DE TENER HIJOS

Cecilia Jan

COSAS QUE NADIE TE CONTÓ ANTES DE TENER HIJOS

Obra editada en colaboración con Editorial Planeta – España

Ilustraciones del interior: © Ed Carosia

© 2014, Cecilia Jan Jan
© 2014, Editorial Planeta, S.A. – Barcelona, España

Derechos reservados

© 2014, Editorial Planeta Mexicana, S.A. de C.V.
Bajo el sello editorial PLANETA M.R.
Avenida Presidente Masarik núm. 111, Piso 2
Colonia Polanco V Sección
Deleg. Miguel Hidalgo
C.P. 11560, México, D.F.
www.planetadelibros.com.mx

Primera edición impresa en España: mayo de 2014
ISBN: 978-84-08-12828-1

Primera edición impresa en México: octubre de 2015
ISBN: 978-607-07-3039-9

Impreso en los talleres de Litográfica Ingramex, S.A. de C.V.
Centeno núm. 162-1, colonia Granjas Esmeralda, México, D.F.
Impreso en México – *Printed in Mexico*

A Eduardo, el mejor compañero y padre.

A David, Natalia y Elisa, que creen que soy la mejor madre del mundo.

A María, que me demuestra que la adolescencia no es lo peor.

A mis padres, que siempre están ahí.

ÍNDICE

El sexo reproductivo no es tan divertido, 23; El primer predictor, 24; Pequeñas desilusiones durante la búsqueda, 24; ¿Esto será un síntoma?, 25; El positivo, 26; La lista VIP, 27; ¿Embarazada o gorda?, 28

No, no eres tú, en las ecografías no se ve un carajo, 33; Libros, revistas e Internet, 34; Nueve meses hablando en semanas, tres años hablando en meses, 35; Lo que daría por ese jamón..., 36; Ropa premamá, bienvenida al mundo de los leggings y al sostén de abuela, 37; Reunión en la ONU para elegir nombre, 38; Sí, estoy muy guapa, pero ¿qué hago con mis hemorroides?, 39; Cambios de humor: sufriendo al Dr. Jekyll y a Mr. Hyde, 40; Maripositas en el estómago que se convierten en Alien, 41; De inapetente a ninfómana, 42; El curso de preparación al parto, 43

El síndrome de las farmacias y las secciones de puericultura, 49; El síndrome de los cupones y las muestras, 50; El síndrome de la compra

INTRODUCCIÓN

Cuando me planteé tener hijos, no sabía en absoluto lo que esto suponía. Tenía esa mirada inocente de los *no iniciados*, esa imagen idealizada de momentos de felicidad jugando, charlando y cantando con mis pequeños, de mimos, besos y confidencias, con un poquito de falta de sueño los primeros meses. No tenía familiares cercanos con niños, y sólo algunos amigos habían empezado antes, pero no los veía con la suficiente frecuencia como para saber lo que se cocía de verdad en sus casas.

Así que Eduardo y yo nos pusimos a la tarea, y una, que tiene tendencia a la sobredocumentación, empezó a leer todo lo habido y por haber en Internet sobre el mejor carrito, la mejor silla para el coche, las bondades de la lactancia materna, qué llevar en la bolsa para el hospital... Pero nada de lo que leí me advirtió de lo que vendría de verdad a continuación. Tampoco me avisaron mi madre, mi suegra, mi cuñada, los vecinos o mis amigos, y lo que tiene más delito aún: ¡ni siquiera el propio Eduardo, que ya tenía una hija de once años!

¿Qué me tenían que avisar? Que *fabricar* niños no siempre es divertido. Que hay muchas formas de parir. Que el primer mes con un bebé puede ser un infierno. Que es mejor no hacerse ilusiones con sus primeros cumpleaños porque no se enteran de nada. Que las parejas discuten como nunca en su vida. Que a veces es peligroso darle al botón del ascensor antes que tu hijo. Que tendrás dudas y dudas sobre tu propia capacidad. Que te convertirás en un aspirador gigante de sobras de comida. Que preparar a los niños y llegar al colegio a tiempo es más estresante que tripular un transbordador de la NASA...

Y es que la crianza está llena de alegrías, pero también de miserias, de cambios importantísimos y de nimiedades, también importantísimas, que, de repente, colonizan tu vida. Cosas que nadie te cuenta porque se dan por hecho, porque parecen tonterías, por vergüenza, por no parecer quejicas o agoreros... O porque los que aún no somos padres no queremos oír. Este libro no es una guía ni un manual de autoayuda, sino un recuento de esas cosas, recogidas con humor —la mejor forma de sobrevivir— por una madre reciente y que, pese a tener ya tres niños, se siente aún una primeriza.

Los que ya tengan hijos puede que se sientan identificados y quizá les arranque una sonrisa. Los que están en ello, para que luego no digan que nadie les avisó.

¿QUIÉN ES QUIÉN?

Antes de seguir, voy a ponerlos al tanto de quién es quién en el día a día de mi familia:

EDUARDO, PAPÁ O SUPERMAN. Periodista sevillano reconvertido en pequeño empresario todoterreno que intenta capotear la crisis y salir adelante en el proceloso mundo de los clientes agobiados, los proveedores indios en perpetua fiesta local y la falta de financiación de los bancos. A primera hora de la mañana y por las tardes-noches, padre dedicado, paciente, bromista y, a veces, desbordado y enfadado. Entre vestir a los niños, darles de desayunar, llevarlos al colegio y atender el negocio, tiene tiempo de hacer las compras. Y a la vuelta, entre duchas, juegos, deberes y cenas, le da tiempo a recoger. Es el encargado de transmitir a los niños conocimientos tan necesarios como quitarse la ropa del derecho o agarrarse las mangas de la camiseta para que no se gurruñen al ponerse el abrigo. Durante todo el día, pero sobre todo por la noche, compañero amoroso.

CECILIA, MAMÁ O PILTRAFAWOMAN. Periodista madrileña de origen taiwanés con cara de sueño permanente, no sólo por los ojos achinados, sino por el madrugón diario obligado que se pega para llegar a trabajar a las seis de la mañana. Cuando la actualidad y el planillo se lo permiten, pone al día el blog de crianza de *El País*, «De mamas & de papas». Por aquello del bilingüismo, mantiene extraños diálogos con sus hijos en los que ella habla en chino, aunque ellos siempre le contesten en español. Por las tardes, alterna entre taxista —lleva niño a extraescolar, deja niño en extraescolar, compra lo que no le ha dado tiempo a Eduardo, recoge niña de extraescolar, llévala a recoger a niño de extraescolar, súbelos al coche, llévalos a casa—, madre de revista —paciente, comprensiva y cariñosa, pero firme— y basilisco gritón. Por las noches, después de flagelarse por haber perdido la paciencia con los niños, sólo puede tirarse en el sofá a ver la tele o jugar Candy Crash Saga. El cerebro no le da para más.

MARÍA. La hija mayor de Eduardo, a sus diecisiete años es una adolescente, pese a ello, bastante juiciosa. Sus hermanos pequeños la adoran aunque sólo la ven algunos fines de semana y en vacaciones, porque vive en Sevilla. Cuando está en casa, igual se tira al suelo a jugar con ellos, se vuelve una estricta institutriz a la hora de darles de comer o acostarlos, entra en modo adolescente e intenta esquivarlos para dedicarse a cosas de adolescente. Simpática, guapa y estudiosa, le encantan las series estadounidenses y se prepara para ser actriz y cantante.

DAVID. El primero de mis tres pequeños *chimpañoles* (mitad chinos, mitad españoles). Tiene seis años, una energía desbordante y dotes para todo lo que sea movimiento y deporte (excepto el fútbol). Simpático pero chinchoso, impaciente y curioso, juega Angry Birds mejor que muchos adultos y pega patadas ninja a diestra y siniestra. Atraviesa una «primera adolescencia» de enfados y llantos. El paso a primaria nos ha traído deberes diarios que nos estresan más a los padres que a él.

NATALIA. Cuatro años y medio. Inteligente y concienzuda. Cuando se propone hacer algo (un rompecabezas, abrocharse los botones, andar en bici sin llantitas...), no para hasta conseguirlo, le cueste tiempo, enfados o caídas. Intenta hacer todo lo que hace David y juega pacientemente con Elisa. Cuando está de buenas, simpática, alegre y generosa como la que más, pero cuando está de mal humor, tiene arrebatos que nos hacen temer, y mucho, la adolescencia.

ELISA. Dos años y tres meses. Alegre, cariñosa y empática. Por imitación de los hermanos, es casi tan autónoma como ellos y habla hasta por los codos, en español y en chino. Graciosa, zalamera y casi siempre de buen humor, de vez en cuando tiene sus rabietas de los dos años, aunque, por suerte, se le suelen pasar rápido.

LA SEÑORA CHU. La cuidadora de Elisa, china, de cincuenta y dos años. Juega con ella, la cuida, la quiere y la consiente como si fuera una abuela. Nos hace la comida y limpia la casa. Habla en chino con los niños para que practiquen y con Eduardo porque puede a duras penas con el español. Cuando puede, se echa la siesta con Elisa mientras Eduardo termina de recoger y limpiar la casa.

Así que ya conoces a mi pequeña familia. A lo largo de estas páginas, leerás sobre nuestras cuitas y alegrías, pero también aparecerán las de amigos, compañeros, vecinos o, simplemente, otros padres y madres a los que he visto en acción. Todos unidos por el mismo objetivo: sobrevivir a estos años tan apasionantes como agotadores.

1
CUANDO LO ESTÁS INTENTANDO

«¿Cómo c... lo hacen quienes quedan por accidente?»

Laura, madre de Antón, de dos años
y nueve meses

El sexo reproductivo no es tan divertido
Ya está. Se decidieron. La conjunción de los astros, el trabajo, la casa, la llamada del instinto... todo cuadra para que piensen que ha llegado el momento de tener un bebé. Ahora sólo hay que fabricarlo.

Al principio parece premio: lanzarse a disfrutar del sexo sin precauciones. Creíste que es cuestión de tener relaciones un par de veces y listo. Ya leíste que se puede tardar unos meses, incluso un año o más, aunque no les va a pasar a ustedes. Pero resulta que, después de tantos años de adolescencia y juventud aterrorizados por la idea de un embarazo provocado por un preservativo roto, ahora descubren que ni al primero, ni al segundo, ni al tercero.

Así que tras unos meses, y tras comprobar que no hay novedad, empiezan a seguir una especie de calendario de relaciones, que variará mucho según lo que les hayan contado médicos, conocidos o Internet. Hay opiniones para todo: que si es mejor reservarse y no tener sexo en varios días para que luego los espermatozoides sean de mejor calidad, que si hay que hacerlo sólo durante los días fértiles de la mujer, que si es mejor *mojar* todos los días para que así las probabilidades sean mayores...

También puede que les recomienden limitar el *Kama Sutra* a algunas posturas, porque la penetración es más profunda y así los bichillos llegan antes. Y que, al acabar, ella se quede un rato con el culo en alto (tumbada con un cojín debajo o a lo perrito) para que los espermatozoides no se escurran y así facilitarles la escalada hasta el óvulo.

«Venga, cariño, que hoy toca», es una frase habitual. Y si toca, toca, no valen dolores de cabeza, cansancio, ni partido de fútbol en la tele. «¡Uf!, ¿otra vez?» «Sí, hoy es día fértil». O al revés: «Cariño, ahora no, que hay que reservarse». ¡Vaya estrés!, y encima ahora la industria, siempre ojo avizor, vende tests de fertilidad no sólo para ella sino también para él.

El primer predictor

Probablemente, con el primer día de retraso te lances a comprar el predictor. El primer shock lo sufres en la propia farmacia, cuando te enteras del precio. Porque resulta que la prueba de embarazo, de la marca Predictor, cuesta unos 130 pesos. Con los siguientes, sobre todo si ves que la cosa va para largo, ya te planteas preguntar si hay tests de embarazo más baratos, con lo cual descubres que existen otras marcas e incluso que venden paquetes de dos o de cinco unidades mucho más económicos.

El segundo shock llega cuando intentas hacer pipí en la punta del palito, y ves que has empapado el cacharro entero y que por poco te haces una lluvia dorada en la mano. Después vienen los cinco largos minutos de tortura, esperando a que el oráculo te ilumine y te confirme la noticia que quieres ver: que estás embarazada.

Y resulta que el oráculo no es tan claro como esperabas. Relees las instrucciones: «¿Cómo era, una rayita rosa es que sí o que no?». «Que no, es la raya de control, se tiene que poner rosa otra raya más». «¿Y ese ligerísimo tono rosa es que sí, es que a medias, es que el pipí era insuficiente o es que hay que esperar otros cinco minutos a ver si oscurece?» Pasas consultas con tu pareja. Debaten. Y al final, ante la incapacidad de decidir, optas por hacerte otro test... Con razón han sacado ahora modelos que te lo dicen con todas las letras: «Embarazada» o «No embarazada».

Pequeñas desilusiones durante la búsqueda

Aunque sepan la teoría de que no es tan fácil como parece, cuando están intentando embarazarse siempre tienen la irracional esperanza de que esa vez va a ser la buena. El primer test que sale negativo (cuando conseguiste interpretarlo después de repetirlo quince veces) toca el corazoncito. Vamos, aunque mentalmente te habías preparado, da penita. Y el segundo, y el tercero.

Mi amiga Victoria tuvo que cambiar de *camello* después de que en su farmacia de cabecera se negaran a venderle más tests, tras hacerse dos, y de los caros, en día y medio sin haber tenido todavía un retraso. «Mira, de ninguna manera me voy a hacer rica a costa de tu ansiedad. Te vas a casa, te relajas y te esperas a que baje o no baje la regla. Es así de sencillo; si es, es, y si no es, no es», le dijeron. Y, claro, no fue.

De nuevo a buscar días fértiles, y al misionero y al perrito. Empiezas a sentir un poco de rechazo a esa postura que al principio te hacía gracia. Y cuando pasan varios meses, aparecen los nervios.

Y entonces es cuando empiezas a ver cómo todos a tu alrededor se quedan embarazados: compañeros de trabajo, vecinos, la prima segunda... Y a ver mujeres con un barrigón prominente o carritos de bebé cada vez que sales de paseo. Lo más probable es que no haya una fiebre de fertilidad, sino que antes no te fijabas tanto. Pero ahora revienta: «Ay, fulanita, ¿cuánto llevas? ¡Cuánto me alegro!» (Traducción: «¡Perra, si no llevas ni dos meses intentándolo!»).

¿Esto será un síntoma?

Cuando estás en ello, aparte de esperar que no te baje la regla, empiezas a observarte en busca de síntomas. Que si te ves los pechos un poco más grandes, que si sufres un pequeño mareo o náuseas matutinas, que si tienes la barriga un pelín hinchada... Puede ser, ¿o no? Cualquier hecho del que antes ni siquiera te percatabas, o al que no dabas importancia, te parece ahora un posible anuncio del embarazo.

A veces, el síntoma más claro es el que menos te esperas, como le pasó a Victoria con el insomnio. Otras son similares a los de la regla (hinchazón de los pechos o la barriga...), así que no puedes hacer más que esperar para quitarte la duda. En ocasiones no notas nada hasta que tienes la primera falta de periodo y te haces la prueba, como me sucedió a mí en mis dos primeros embarazos.

Y otras te enteras cuando, de repente, el té que te tomabas todas las mañanas a la misma hora te da tanto asco que tienes que ir a vomitar, como me pasó, de un día para otro, con el embarazo de Elisa.

El positivo

Miro atrás y, realmente, no consigo recordar mucho de la sensación que tuve cuando vi el primer positivo. Por supuesto, sentí alegría, un poco de incredulidad, aunque era la confirmación de algo buscado y esperado, cierto vértigo, aunque no llega a avisarte de lo que de verdad se avecina, y hubo besos y abrazos.

Pero no recuerdo más. Quizá es que, en comparación con todo lo que viene después, lo que en ese momento parecía tan importante ha quedado rápidamente enterrado. ¿O tal vez sea negación, porque quiero pensar que todavía estoy a tiempo de devolverlo a fábrica? Mi compañero Juan Carlos, padre de dos niñas de la edad de Natalia y Elisa, me tranquiliza cuando reconoce que a él le sucede lo mismo, que no recuerda en absoluto momentos supuestamente trascendentes, como los primeros pasos de sus hijas, aunque no se le borran otros del todo normales.

Fue hace solo seis años, pero entonces no había tal enganche a las redes sociales como ahora, ni tenía un teléfono con el que sacar fotos de todo lo que ocurría. Hoy en día sí que he visto imágenes de pruebas de embarazo o de ecografías subidas a Facebook. No sé si yo lo hubiera hecho. Creo que no, pero con la euforia nunca se sabe.

Eduardo me ha recordado lo mal que nos cayó que, cuando llamamos para pedir cita con nuestra ginecóloga, nos la dieran para bastantes semanas después. La enfermera nos dijo que tenía que estar al menos de ocho semanas. «Pero ¡es que estoy embarazada!», clamaba yo escandalizada porque no me hicieran un hueco para realizarme un reconocimiento inmediato.

La lista VIP

Y ahora, con el positivo en la mano, después de meses, incluso años, esperando, deseas gritarlo a los cuatro vientos: «¡Vamos a tener un niño!». Aguanta, que no. Mejor esperamos a que pasen las doce primeras semanas para contarlo en el trabajo, no sea que haya algún problema. ¿Y a quién se lo contamos entonces?

Así que hay que elaborar una lista VIP de los elegidos, los que lo sabrán casi desde el principio. Normalmente son familiares o amigos muy cercanos. A veces surgen dudas como si decírselo o no a menganita, que lleva un año más que tú intentándolo y va a tener que hacerse un tratamiento in vitro, o a zutanita, que aunque es tu mejor amiga acaba de sufrir un aborto.

La lista VIP puede incluir gente inesperada. Cuando me quedé embarazada de David, la primera persona a la que se lo conté fue mi profesora de pilates, porque tenía miedo de que algún ejercicio pudiera ser perjudicial. De modo que le tocó a ella escuchar mis batallitas de embarazada primeriza. Eduardo se lo dijo a su hija María, que entonces tenía once años y deseaba tener un hermanito.

Pero quedamos en que esperaríamos hasta la primera revisión, cuando hubiéramos comprobado que todo iba bien, para contárselo a nuestros respectivos padres y hermanos. Y mientras, tuvimos que disimular, algo que a veces nos costó bastante. Como el día que fuimos a comer un arroz estupendo junto al puerto de Mazagón con los hermanos de Eduardo, y casi no lo probé de las náuseas que tenía. Lo cual les sorprendió muchísimo porque tengo fama, ganada a pulso, de tragona.

También la forma de comunicar la noticia —y de recibirla— cambia según el momento y si es el primer embarazo o no. El de Natalia lo anunciamos durante el velatorio del padre de Eduardo, aprovechando que estábamos todos, y en persona, en

Sevilla, lo que creó una extraña mezcla de alegría en medio de la tristeza. Y desde que nació Natalia, cada vez que les digo a mis padres: «Tenemos que contarles algo», me miran con cara de susto y dicen: «¿No estarás embarazada de nuevo?». Cuando por fin lo estuve, de Elisa, lo primero que le dijo mi padre a mi madre fue: «Mira, nosotros les cuidamos a los niños, y ellos van y se ponen a hacer más...».

Después de la liberación de contárselo a todos los de la lista, a lo largo de unas interminables semanas, van a tener que morderse la lengua en el trabajo, con los vecinos, con esos amigos y primos que excluyeron, aunque les pregunten cuándo piensan tener niños. Con las ganas que tendrán de que los feliciten...

¿Embarazada o gorda?

Una de las razones por las que la madre desea contar a todo el mundo lo del embarazo es que no la tomen por gorda. Aunque al principio, y sobre todo si es la primera vez, se nota muy poco, y puede que ni hayas subido de peso. Yo, en realidad, estaba deseando tener una barriga de embarazada, pero de las de verdad, tipo balón, y no esa ligera curvilla que no se sabía si era de unos cuatro o cinco meses de gestación o de haberme pasado con el tocino y los dulces navideños.

Y es que esa barriga indefinida es peligrosa. Con Elisa, la tercera, creció tan rápido que a partir de la semana catorce las compañeras de trabajo empezaron a preguntarme si estaba embarazada. Se ve que había cruzado la frontera espacio-temporal a partir de la cual ya es seguro plantear la cuestión sin temor a recibir una negativa, nunca mejor dicho, embarazosa.

Yo no suelo preguntar a menos que la persona en cuestión esté ya de unos ocho meses. Y con razón, porque la única vez que lo hice con una barriga más pequeña, después de un par de horas de observación concienzuda, y de estar casi completamente segura, me llevé la sorpresa de que no lo estaba. Aunque a mí, que soy de por sí barrigona, también me lo han preguntado sin estar embarazada, y no me he sentido ofendida. Una, que es consciente de lo que tiene.

Todo esto me recuerda un artículo que leí en la web de la BBC. Citaba una encuesta según la cual el 84 por ciento de las embarazadas (supongo que británicas) a menudo tenían que quedarse de pie en los transportes públicos porque nadie les cedía el asiento. Lo curioso es que, al parecer, algunos viajeros no lo hacen porque temen que la embarazada, en realidad, no lo esté y que el gesto educado resulte un insulto a una mujer con sobrepeso.

El artículo da varias pistas para no confundirse: los resoplidos por la falta de aliento, el frotarse la barriga o la espalda, los zapatos planos, los tobillos hinchados, el andar bamboleante, o la lectura de un libro o una revista sobre bebés. Aunque la verdad es que muchas de ellas no son válidas hasta que el embarazo ya está bastante avanzado y hay menos margen de error. Por eso, al final, recomienda que las embarazadas simplemente pidan a los demás que les cedan el asiento.

Mmm... ¡Qué idea! ¡Quizá podría sacar partido de mi barriga posembarazo para sentarme la próxima vez!

2
EL EMBARAZO

«Eso de que con el embarazo estás guapa... lo dicen sólo los que te ven de cuello para arriba».

Eva, madre de César, de seis años

No, no eres tú, en las ecografías no se ve un carajo
Lo confieso. Tengo un pequeño trauma de mi época de estudiante. Nunca conseguí ver esos dibujos en 3D que se pusieron de moda hace unos años, aquellos que a simple vista parecían un borrón y, cuando te concentrabas mirándolos fijamente, se veía... No sé lo que se veía, porque, mientras que todos mis compañeros lo conseguían, yo fui incapaz. Ni aunque me quedara bizca.

Y ahora, quince años después, cuando ya me había olvidado de los feos dibujos, reviven al hacerse las ecografías. La primera sí, a las doce semanas, es muy bonita, es como un pequeño renacuajo cabezón, y la pegas con un imán en la puerta de la nevera. Y emociona cuando te ponen en alto el latido del corazón, una mezcla de «pumpum-pumpum» con un ruidillo de agua de fondo.

Pero resulta que, en cuanto crece un poco, el miniser que llevas en la barriga ya no cabe en un solo pantallazo, por lo que te lo van mostrando por partes. «Mira, ahí está la cabeza», te dice la ginecóloga. «¿Dónde?», preguntas guiñando un poco los ojos, a ver si así lo ves mejor. Aunque resulta difícil, porque entre la oscuridad, que estás de lado y que no sabes cuál es el derecho y cuál el revés... «Y eso es el tronco.» «¿?» «Y esto es una pierna. Está perfecto». Lo peor es cuando tu pareja dice: «¡Ah, sí, ahí está!». Y tú, tan bizca que ya sólo te ves la punta de la nariz. Con suerte, reconoces una mano o un pie, por aquello de que tienen deditos. Y te imprimen una copia, que también cuelgas con orgullo en la nevera, aunque en realidad no sabes lo que se ve.

Libros, revistas e Internet

Ahora, de repente, cobran sentido esas revistas que hay en los quioscos con bebés redonditos y sonrientes y que tratan temas que suenan apasionantes: «Embarazada, cómo alimentarte de forma sana», «¿Cómo hacer que tu bebé duerma de un tirón?», «¿Eres una madre dialogante?»... También te habrás comprado o te habrán regalado libros sobre el embarazo, o incluso éste. Sin ninguna estadística en la mano, me atrevo a decir que este exceso informativo es una fiebre sobre todo femenina (se nota en el lenguaje que se utiliza en estos textos), aunque padres sobredocumentadores también hay algunos.

Como contacto inicial con el mundo bebé, pueden valer, sobre todo para ir ganando vocabulario. Términos como *triple screening, prueba de la glucosa, episiotomía, sostén de lactancia, mameluco, maxicosi* o *pezonera*, para los que hasta ahora tenías el famoso filtro «por un oído me entra, por el otro me sale», de repente atraen poderosamente tu atención. Así no parecerás tan alelada en las visitas al médico y te podrás ir integrando poco a poco en las conversaciones con vecinos con niños.

Si ya eres de género obsesivo —y parece que el embarazo nos vuelve un poco así—, acabarás consultando el oráculo de la madre moderna: Google. Lo *googlearás* todo. Tengo un pequeño dolorcito aquí, en el lado derecho del abdomen, y mi libro sobre el embarazo no dice nada. A Google. Mi flujo tiene una textura similar a la de la mantequilla, pero a la de Reny Picot, no a la de Arias. A Google. Estoy en el tercer trimestre, tengo que tomar el metro en noche de luna llena y hay una epidemia de gripe. A Google.

Y como una cosa lleva a la otra, y las páginas web sobre crianza (como las revistas, pero en Internet) y las de contenido médico no suelen ser tan específicas, descubres el mundo de los foros de madres. Descubres que, antes que tú, varias perturbadas más han preguntado algo similar, con lo cual ya no eres la única hipocondríaca. Eso hace mucha compañía, así como conocer, aunque sólo sea virtualmente, a un grupo de mujeres que comparten tus mismas preocupaciones y a las que no les aburre, a diferencia del resto del mundo real, el monotema.

Pero desengáñate, nada de lo que leas te prepara para la realidad. Si quieres conocerla, asalta a algún buen amigo o amiga con hijos pequeños, págale a una niñera para que te pueda atender sin interrupciones, emborráchala y pídele que te cuente la verdad. Pero la de verdad.

Nueve meses hablando en semanas, tres años hablando en meses

Sí, antes de tener hijos, yo también pensaba que el embarazo eran nueve meses y que los niños cumplían años. Ahora sé que el embarazo normal dura entre 37 y 42 semanas, y que los niños, hasta los tres años, más o menos, cumplen meses.

No es por echarle la culpa a alguien, pero creo que esa manía de hablar en clave numérica nos viene de los médicos. Como te van siguiendo el embarazo de semana en semana (la ecografía de las doce, la de las veinte, etc.), acabas calculando tu tiempo también en semanas. Así que, cuando los no iniciados te preguntan de cuánto estás, les sueltas con toda naturalidad: «De quince semanas». Cuando ves su cara, recalculas mentalmente y traduces: «De casi cuatro meses». Cuando se acerca la fecha prevista del parto, es más marciano aún; vas a las revisiones y dices: «Estoy de treinta y siete más uno» o «de cuarenta más cinco».

En realidad, como muchas otras cosas de las que nos pasan durante el embarazo, no es más que una práctica para después. La revisión de los dos meses, la de los cuatro meses, la de los seis, la de los doce, la de los quince y la de los dieciocho son más que suficientes para que acabes hablando en meses de tu hijo. A eso contribuyen las tallas de la ropa infantil, que están, ¡sorpresa!, en meses, en centímetros o en kilos.

También descubres que los niños pequeños cambian tanto en cuestión de días que, con tu prurito de progenitor, te parece importante dejar claro que tu hijo ha empezado a decir «esterno-cleidomastoideo» a los veintitrés meses, que es mucho antes que a los dos años. Eduardo siempre bromea con eso e, ignorando el sistema decimal, dice, por ejemplo, que nuestros hijos tienen 5.8 años, 4.4 y 2.1... Y, claro, es un incomprendido.

Lo que daría por ese jamón...
Ni flores, ni peluches, ni ropita. Uno de los mejores regalos que le puedes hacer a una madre recién parida es un torta de jamón del bueno. Porque en cuanto te confirman que estás embarazada, en los últimos años, antes casi que el tabaco y el alcohol, te quitan el jamón. Puede que antes tampoco estuvieras todo el día comiéndolo, pero en cuanto te lo prohíben, empiezas a ver raciones de jamón a tu alrededor y a salivar como un perro de Pavlov.

Mi ginecóloga decía que podía congelarlo, pero en un restaurante o un bar, en una comida con amigos, como que no es plan pedir que se lo lleven y te lo traigan a las tres horas. Otra solución es saltarse la prohibición. Total, si en veinte o treinta años comiendo embutidos, carne poco hecha y ensaladas lavadas de aquella manera nunca has contraído toxoplasmosis (una enfermedad parasitaria de la que normalmente ni te enteras, pero que durante el embarazo puede causar malformaciones en el feto), ya es mala suerte pillarla justo ahora.

También hablando con otras embarazadas descubres que esto de las prohibiciones es muy relativo y que depende mucho del médico o la matrona con los que te topes. Los hay que te quitan también el sushi, mientras que otros ni le dan importancia; o los que te dejan tomarte una copita de vino o un trago de vez en cuando, frente a los que te prohíben hasta oler el alcohol. De hecho, una profesora universitaria estadounidense causó polémica hace unos meses con su libro *Expecting Better*, en el que, tras sumergirse en la mayor base de datos de publicaciones médicas, PubMed, pone en tela de juicio buena parte de las convenciones sobre lo que se debe evitar o no durante el embarazo.

Pese a todo, suelo ser obediente con la autoridad, en este caso, los médicos, así que reprimí las ganas de jamón, excepto en el tercer embarazo, cuando ya me decidí a congelar un sobrecito del bueno, aunque parezca un sacrilegio. Y me supo a gloria. Pero sí que entran dudas sobre si es necesario abstenerse, sobre todo cuando lees artículos y estudios que aseguran que el parásito no sobrevive al proceso de curación.*

Por otra parte, y para tranquilidad de las dueñas de gatos, muchas veces desterrados durante los meses de gestación, también hay artículos que explican que habría que comerse sus cacas para contagiarse, algo que no parece probable por más antojos raros que se tengan.

Ropa premamá, bienvenida al mundo de los *leggings* y al sostén de abuela

Una de esas cosas que hacen mucha ilusión a las embarazadas en los primeros meses es comprarse ropa premamá. Empiezas a fijarte en los escaparates de las tiendas o en los catálogos, aunque todavía no se te note en absoluto la barriga, y esbozas una sonrisa imaginándote el momento en el que crecerá. Desengáñate, acabas de entrar en el mundo antiglamour, el de los *leggings* y la ropa interior de abuela. En realidad, es un adelanto de lo que te espera los próximos años.

Cuando la barriga empieza a crecer, entras al fin en una tienda especializada en ropa premamá y te vuelve a dar un shock, como cuando te compraste el predictor. ¿Quinientos pesos por una camiseta? ¿Mil pesos por unos pantalones para cuatro meses? Y, además, feos. E incómodos. Recuerdo que en el primer embarazo, caí y me compré no uno, sino tres pares, de esos con un elástico en el interior que vas ajustando con un botón (si no sabes lo que es, ve enterándote porque es lo que llevan los pantalones de los ni-

---

* <www.elpartoesnuestro.es/blog/2013/04/10/las-embarazadas-los-gatos-y-el-jamon>.

ños). De las compras más inútiles de mi vida (y llevo unas cuantas): se caen, sencillamente, porque tu barriga los va empujando para abajo, y, a menos que te vaya el estilo adolescente de enseñar las bragas, los acabas arrumbando en el fondo del armario.

Meses más tarde descubrí que los pantalones que van bien de verdad son los que tienen una especie de faja elástica enorme donde meter toda la barriga, pero esos no valen la pena hasta que ya tienes un buen balón con el que llenarlos. Mientras, puedes sobrevivir con el mismo truco que se emplea en las cenas copiosas: botón desabrochado y disimulado con un cinturón un poquito suelto.

Pero lo más cómodo son los *leggings* o mallas, con camisolas anchas o camisetas largas ajustadas. Éste era mi uniforme oficial durante los meses de embarazo en invierno. También van bien los vestidos, de hecho, los anchos de no embarazada pueden valer la pena, aunque si son cortos, ojo, porque la barriga los sube, se acortan aún más y de vuelta a enseñar las bragas...

Por suerte, algunas grandes cadenas, tipo H&M, diseñan líneas premamá, así que ya se pueden encontrar prendas más baratas y algo menos feas. También hay algunas tiendas *online* con cosas monas y asequibles.

Además de al mundo del *legging*, el embarazo te introduce, de repente, al de la ropa interior de abuela. Después de meses con lencería de encaje para propiciar la fabricación del bebé, ahora la sustituyes por maxicalzones de algodón para no irritarte las partes y por espantosos sujetadores reforzados, preludio de los sostenes de lactancia. ¿El consuelo? Que no te has visto con un escotazo así en tu vida.

Reunión en la ONU para elegir nombre

Una de las decisiones que hace más ilusión tomar, y en la cual una metida de pata tendrá consecuencias para toda la vida, es la elección del nombre del bebé. Porque, reconozcámoslo, aunque quieras mucho a la abuela Burgundófora (nombre real), quien tendrá que vivir toda la vida con tu sentido homenaje será tu hija.

Muchas veces, elegir el nombre supone un ejercicio de equilibrismo que ríete tú de las reuniones del Consejo de Seguridad de la ONU: ambos progenitores deben quedar contentos; las familias políticas deben quedar medianamente satisfechas o, por lo menos, no deben sentirse despechadas; hay que tener en cuenta a los muertos recientes (por ejemplo, el fallecimiento de un abuelo durante el embarazo suma puntos a la hora de poner su nombre al bebé); el elegido no debe rimar ni ser objeto de juegos de palabras extraños con los apellidos; no puede derivar en diminutivos que nos disgusten; no puede ser el mismo que le acaban de poner a su prima o a la hija de tu mejor amiga...

Es decir, que muchas veces ni la madre ni el padre ponen el nombre que más les gustaba, sino el que más les gustaba de entre los que menos les disgustaban a las otras partes y que, además, cumplía con el resto de requisitos. A veces, si a uno le hace mucha ilusión un nombre y el otro no lo tiene claro, cede, aunque se suele quedar con el derecho a nombrar al siguiente. Así lo hicimos nosotros con David, que a mí me gustaba mucho, y Natalia, nombre elegido por Eduardo que yo no habría puesto jamás.

También suele funcionar, como en la ONU, el derecho a veto: no tienes claro qué nombre le vas a poner al bebé, pero sí los que están prohibidos: el de la compañera que me cae fatal, el de mi primer exnovio o el del tío aburrido.

Escojan el que escojan, recuerden que quien tendrá que vivir toda la vida con él será su hijo. Y sean prudentes...

Sí, estoy muy guapa, pero ¿qué hago con mis hemorroides?
Ejem, ejem. Digo *hemorroides* como podría haber dicho *acné, manchas, sequedad, estreñimiento, ardores, varices, hinchazón de pies y tobillos* y otras cuantas alteraciones físicas habituales durante el embarazo. Probablemente, estabas avisada de algunas de

ellas si te habías leído algún libro sobre el tema. Pero una cosa es leerlo y otra cosa, sufrirlo, sobre todo cuando a tu alrededor te dan la enhorabuena y esperan palabras de ilusión.

Y es que, en las conversaciones con embarazadas o con sus parejas, parece que es de buena educación preguntar si tienen náuseas o si duermen bien. Pero, a no ser que se trate de alguien muy cercano, cuando te preguntan qué tal estás, no esperan que les cuentes la verdad.

—¡Ayyyyyyy, qué bien, no tenía ni idea de que estabas embarazada! ¡Qué bien te veo! ¿Cómo lo llevas?

—Bueno, tengo náuseas por las mañanas...

—Ya, es normal. Pero, oye, se te ve muy bien.

—Bueno, también me pesan un montón las piernas y las tetas, no quepo en mis zapatos, llevo tres días sin ir al baño y me han salido hemorroides de tanto intentarlo, no duermo seguido y, cuando al fin lo consigo, tengo que saltar de la cama para hacer estiramientos porque me da un calambre en los gemelos, se me corta la respiración al andar cinco minutos, tengo acidez y la cara llena de granos y...

Te imaginas esto cada vez que alguien te pregunta? Pues eso, es mejor sufrir en silencio.

Cambios de humor: sufriendo al Dr. Jekyll y a Mr. Hyde

A la conversación del apartado anterior, probablemente, tu pareja podría añadir:

—Vivo en un régimen del terror. Hay días en los que se levanta feliz y, de repente, se vuelve una hidra, y no sé por qué, y me grita y llora.

Y es que el coctel hormonal que viene con el embarazo es realmente fuerte. Los libros te advierten, sí, pero en plan: «Es posible que sufras cambios de humor». Si a los ataques de furia asesina por causas que ni recuerdo los llamas *cambios de humor*, pues sí, los he sufrido. Yo los noté sobre todo en el segundo y en el tercer embarazo: vivía hasta experiencias extracorpóreas en las que me veía a mí misma desde fuera, gritando como una loca sin saber por qué, hasta el punto de que no me reconocía.

También puedes caer en la depresión, llorar sin venir a cuento, sentir euforia o melancolía... Todo en un mismo día, incluso en una misma hora.

Una recomendación para las parejas: cuidado con decir «estás alterada por las hormonas», aunque sea verdad. Es como decirle a una mujer: «Es que estás con la regla». Es una frase que solo puede pronunciar la que lo está sufriendo, a menos que quieras que te respondan con un bufido.

Maripositas en el estómago que se convierten en Alien

Hacia el cuarto o el quinto mes se suelen notar los primeros movimientos del bebé dentro de la barriga. Pero al principio son tan leves y extraños que puede que no te enteres o que no los relaciones con el feto. En mi caso, sentía como maripositas revoloteando en mi tripa. También se describen habitualmente como *burbujitas*.

Después de sentirlo unas cuantas veces, detectas un patrón, por ejemplo, yo lo solía notar al tumbarme después de volver del trabajo, y te acostumbras. Y así pasan las semanas hasta que un día, hacia el sexto o séptimo mes, en vez de sentir maripositas, te miras y ves claramente un bulto que puede ser una mano, un pie, un codo. Tal cual Alien antes de hacer su primera aparición en la película. Tiene su gracia, pero la verdad es que también da algo de desagrado.

Otra de las cosas curiosas que puedes sentir dentro de ti es hipo. Suele empezar a notarse a partir del séptimo mes, y se debe a que el feto comienza a contraer el diafragma como parte de su entrenamiento para cuando salga de tu tripa y tenga que respirar por sí mismo. Sólo que, en lugar de aire, lo que traga y expulsa es líquido amniótico. A veces me preocupaba un poco, porque los ataques de hipo duraban bastante, aunque luego leí que es de lo más normal.

De inapetente a ninfómana

Las primeras semanas después de enterarse de que están embarazados, es normal bajar el ritmo o incluso entrar en dique seco en cuanto al sexo. Les da miedo aplastar a la lentejita, el ginecólogo todavía no ha confirmado que está todo bien, la mujer puede sentirse molesta, con náuseas, sensible, inapetente...

Pero, muchas veces, cuando el médico da el visto bueno y se vuelven a animar, descubren que la cosa mejora mucho: se encuentran más relajados porque ni están pendientes de conseguir quedarse embarazados ni tienen que usar métodos para evitarlo. Los órganos sexuales de la embarazada tienen más riego sanguíneo, lo cual puede aumentar la sensación de placer y convertir a una mujer de deseo normalito, tirando a bajo, en una mujer fogosa, sobre todo en el segundo trimestre. Aunque también es normal que disminuyan las ganas o que fluctúen.

Ahora bien, los hombres tampoco se libran de los cambios: algunos quedan encantados con el aumento de tamaño de los pechos de la embarazada o su súbito ataque de ninfomanía. Sin embargo, otros se retraen por el agobio de lo que se avecina o por miedo a hacer daño al bebé, y se encuentran con los papeles invertidos y diciendo: «Ahora no, cariño, no me apetece».

Durante los últimos meses, sea cual sea la frecuencia, lo que sí varía es la forma. La barriga de una embarazada de siete u ocho meses entorpece la capacidad de maniobra de la pareja. Así que tendrán que repasar el *Kama Sutra* en busca de posturas adecuadas, porque el misionero queda desterrado. Aquí van algunas:

ELLA ENCIMA. Está bien mientras tenga la forma física para mantenerse sentada o de rodillas y no tenga que tumbarse hacia delante, sobre el hombre, porque entonces pasa como con el misionero: que la barriga no cabe entre los dos. También puede ser que ella pierda el aliento fácilmente, ya que la tripa presiona los pulmones, y en esta postura más.

DE LADITO O CUCHARA. Él detrás de ella, que está tumbada con la barriga hacia el otro lado. No hay choques, y él puede aprovechar para hacerle a ella un masaje en la espalda.

PERRITO. Tampoco hay choques de barriga, pero es más cansada para la mujer. Y, ojo, porque, al ser la penetración muy profunda, puede ser molesta o algo dolorosa.

TIJERA. Él tumbado de lado, ella boca arriba, con las piernas entrelazadas, como haciendo una *x*. Es una postura más relajada, se pueden mirar a la cara y darse besos.

En cualquier caso, si no hay impedimento médico y son de los que tienen ganas, aprovéchenlo, que luego vienen unos meses de escasez muy malos...

El curso de preparación al parto

Aparte de lanzarte a comprar ropa de embarazada, una de las cosas que crees que tienes que hacer en cuanto comprueban las quince rayas del predictor es apuntarte a un curso de preparación al parto, aunque luego te enteras de que no lo imparten hasta cerca del séptimo mes. (¡Aggggh! ¿Tan tarde? ¿Y si tengo labor de parto antes? ¿Cómo lo reconoceré? ¿Cómo tengo que respirar?)

Durante mi primer embarazo hice un curso clásico en la clínica privada en la que estaba mi ginecóloga, sin plantearme buscar otro sitio. Es como la autoescuela, tienes por un lado el teórico y, por otro, que es a lo que estás deseando llegar, el práctico. El teórico incluía un montón de sesiones con todo tipo de profesionales: la ginecóloga, el pediatra número 1, el pediatra número 2, la psicóloga... Pero tengo que confesar que, en realidad, la clase a la que estaba obsesionada con llegar antes de dar a luz era la última, en la que explicaban qué meter en la bolsa para el hospital.

Pensándolo ahora, creo que es porque el parto me quedaba mentalmente muy lejos, aunque sólo faltara un mes. Tenía la impresión, totalmente errónea, de que de eso se encargarían los médicos y de que yo tenía poco que hacer salvo seguir órdenes. Y también me parecía irreal que de ahí fuera a salir un bebé al que tendría que cuidar.

Quizá si nos hubieran puesto vídeos terroríficos de partos o de ojerosas madres recientes me hubiera puesto más en situación. Pero, en lugar de eso, asistimos a unas charlas más bien aburridas, de tomar muchos apuntes pero quedarnos con poca información. La parte práctica era más parecida a los cursos que salen en las películas: parejas sentadas o tumbadas en colchonetas, inspirando, exhalando o jadeando al tiempo que aguantábamos la risa, mientras seguíamos un gráfico con el ritmo de cada respiración en función de cuán dilatadas estábamos.

Luego llegas al parto de verdad y, mientras vas dilatando despacito, puedes incluso sacar los apuntes y hacer alguna de las respiraciones. Pero cuando llegan las contracciones fuertes, lo mandas todo a la porra y empiezas a sudar y a preguntar cuándo se acaba todo.

En fin, que estos cursos no son la panacea, aunque sí creo que es aconsejable prepararse de alguna manera. Todo depende mucho, como en el colegio, de la persona que lo imparte, de si la información que te da está actualizada, de si es empática y, ¿por qué no?, simpática. También está bien saber que hay distintas técnicas y que unas se ajustarán más que otras a las expectativas que tienes acerca de cómo quieres dar a luz. Y si lo que te falta es tiempo, ahora hay incluso cursos *online*. Además, sin la función de suplir el curso preparto, hay cada vez más sitios donde imparten gimnasia, natación, yoga o pilates para embarazadas.

Durante el segundo embarazo me limité a repasarme los apuntes sobre las respiraciones. Y en el tercero, en el que intenté buscar alternativas para controlar el dolor sin epidural, me aconsejaron la técnica Alexander. «¿La qué?», dirás. Es una técnica de educación postural poco conocida que hace hincapié en ser conscientes de cada parte del cuerpo y enseña a relajarlas. No es específica para embarazadas, pero, como las clases son individuales, se adaptan a tu estado. Mi profe, María, me enseñaba la técnica en sí, y también hacíamos ejercicios para controlar el dolor, con pelotas, sillas o mi pareja. Me gustó, aunque tenía un componente un poco místico con el que yo, que soy muy racional, andaba totalmente despistada. Además, me quedaré con la duda de si realmente esta técnica funciona o no para controlar el dolor, porque, a la hora de la verdad, Elisa vino tan rápido que no me dio tiempo a ponerla en práctica. Bastante tuve con que no naciera en el coche.

3
FIEBRE MATERIALISTA

«Le compré la habitación más bonita sin mirar el dinero... Y al final acabó durmiendo en nuestra cama».

LORENA, madre de Jorge, de tres años,
y de Marc, de dos meses

El primer embarazo suele desatar una fiebre materialista, con distintos síndromes hasta ahora desconocidos, que merece un capítulo propio. La mayoría, sobre todo si no tenemos familiares o amigos que se ofrezcan a prestarnos cosas (y, a veces, teniéndolos), queremos que nuestro bebé lo tenga todo y lo estrene todo. Y la verdad es que muchas de nuestras ideas acerca de lo que necesita un recién nacido son equivocadas, pero cuando lo descubrimos ya es tarde. Espero que los apartados siguientes les sirvan para aclarar algunas de ellas, y que con lo que ahorren se puedan ir de vacaciones con su bebé. Las marcas que menciono son las que me han ido bien por experiencia propia; desafortunadamente, no me llevo nada por citarlas.

El síndrome de las farmacias y las secciones de puericultura

Un extraño síndrome que suele atacar a los padres primerizos es el de la atracción súbita por los productos para bebés expuestos en las farmacias o en las tiendas y secciones de puericultura de los grandes almacenes. Solo así se explica que mi primer hijo, que nunca quiso el chupón, acabara teniendo diez, que siguen nuevos, en un cajón. Y es que tienen unos dibujitos tan monos y tan tiernos... Y los hay con tetinas de formas y materiales distintos. «A ver si es que no lo coge porque no he encontrado el modelo que le gusta...»

Todavía ahora, que la menor ya cumplió los dos años y no ha tomado un biberón en su vida, cada vez que entro en la farmacia tengo que hacer esfuerzos para no comprar uno.

Lo mismo pasa en la sección de puericultura de los grandes almacenes. Entras por algo concreto que necesitas, supongamos que un paquete de *bodies*, y, de repente, se te van los ojos a todo lo demás: ropita, zapatitos, juguetitos, peluchitos, platitos, cucharitas (seguirás cayendo en la trampa mientras no puedas evitar hablar en diminutivo). Si te descuidas, sales con varias bolsas llenas de cosas tan absurdas como agua del Jordán embotellada para bautizar a tu niño (que lo he visto, de verdad).

El síndrome de los cupones y las muestras

Otro síndrome, éste creo que es más bien femenino, que empieza en el embarazo y suele durar hasta al menos un año después de dar a luz es el de volverse loca por los cupones y las muestras. Oye, si hay que tomarse una foto parado de manos para que te manden una muestra de toallitas, pues se hace. ¿Recolectar códigos de barras de los paquetes de pañales para conseguir un peluche horrible? Pues claro. ¿O de las papillas para que te manden una medallita con las iniciales de tu bebé que no le vas a poner en la vida? ¿Dónde hay que firmar?

Aparte de regalar tus datos personales a cualquier empresa para conseguir muestras de cereales y leche en polvo, también llenarás la casa de botecitos y sobrecitos (ya sabes, todo en diminutivo) de cremas y champús para bebés de la farmacia, que guardarás como oro molido y descubrirás, dos años después, cubiertos de polvo y caducados en un cajón.

El síndrome de la compra de ropita por catálogo e Internet

Éste creo que es también femenino, y se desarrolla sobre todo cuando el bebé está a punto de nacer o en su primer año de vida. Hasta que te quedaste embarazada, cuando oías «compra por catálogo», pensabas en el *Venca* y no te apetecía nada. Vaya rollo recibir en casa prendas que ni te pudiste probar y una semana después de comprarlas.

Pero ahora, a través de una amiga, o de una revista, descubres catálogos de ropa infantil tan mooooooona... Y unas ofertas tan bueeeeenas... Y si compras más de tres artículos, te regalan un vasito de aprendizaje o unos cubiertos de plástico o una mochilita... En pleno síndrome del cupón, ¿quién se puede resistir a un regalito?

Ahora en serio, las compras por catálogo o por Internet pueden ser de mucha ayuda. Aunque estés harta de ver mujeres paseando con carritos de bebé por los centros comerciales, descubrirás que no es tan fácil salir de compras los primeros meses: te falta tiempo, estás cansada, no te organizas (crees que no te va a dar tiempo entre comida y comida, y prefieres no alejarte de casa) o te agobias. A veces, el bebé, que normalmente no hace más que dormir cuando lo subes en la carriola, en cuanto paras en una tienda para ver un vestido de cerca, empieza a berrear. Mi teoría es que el suelo de los centros comerciales es demasiado liso (se duermen mejor con cierto traqueteo, como el de las aceras), y pararte cada dos por tres a mirar algo les rompe el ritmo del sueño.

Así que esas prendas de las que tienes las tallas claras u objetos como las mantitas, las toallas, etc., puedes perfectamente encargarlos y recibirlos en casa. Lo mismo para otras cosas que antes preferías comprar *en vivo*, como los libros (si te quedan tiempo y ganas de leer) o la comida. En realidad, ahora todo se puede comprar ya por Internet. Aprovéchalo.

Lluvia de regalos

Cuando anuncian que están embarazados, los familiares y los amigos más cercanos normalmente empiezan a hacerles regalos. Aparte de la generosidad y la situación económica de cada uno, la calidad, la cantidad y el tamaño de estos variarán en función de si hay muchos o pocos niños en la familia o en el grupo, y de si es el primer embarazo o los siguientes.

Con el primer nieto, por ejemplo, los abuelos se desviven, y si su bolsillo se los permite, puede que les financien las cosas más caras, como la carriola o la cuna, o que les traigan ropita nueva cada dos por tres. También la pandilla de amigos suele ilusionarse mucho con el primer bebé del grupo, que es un poco como la mascota, incluso antes de nacer. Mis amigos Marco y Cris, los primeros valientes en lanzarse a la aventura, tuvieron que sufrir durante todo el embarazo que llamáramos al bebé Mazinger. Por supuesto, recibieron de regalo una camiseta de Mazinger Z, que creo que el niño se pudo poner hasta los ocho años de lo grande que era.

Los siguientes, no nos vamos a engañar, hacen ilusión, pero no es lo mismo. A los padres sí, porque descubrirás que puedes querer y repartirte entre tantos niños como vengan. Pero a los demás no. Quizá sea sólo por antigüedad o porque, mientras que el mayor ya hace monerías, el siguiente no es más que un garbancito en la barriga de mamá y, después, un recién nacido, es decir, muy tierno, pero en realidad muy soso. Así que les toca heredar lo del mayor, sobre todo si hay más primos en la familia o niños en el grupo, y se podrán dar con un canto en los dientes si les cae una prenda de vestir de estreno. No se ofendan si notan que a su recién nacido no le hacen tanto caso como al primero que llegó, es ley de vida.

También varían los regalos en función de la experiencia paternal del que los hace. Amigos o tíos solteros probablemente les traigan algo relacionado con la infancia y que les parezca mono o gracioso, como un babero de algún sitio al que han ido de vacaciones, un conjuntito de ropa con una frase divertida, o un peluche o un juguete que el bebé podrá usar hasta dentro de dos años.

Si el que regala ya tiene hijos, lo normal es que compre algo que le ha resultado útil por experiencia, que se fije en detallitos como que la ropa sea cómoda de poner o quitar, o que el peluche no tenga ojos que se puedan caer y tragar, o lazos.

Aunque el factor sorpresa hace ilusión, lo mejor es que se pregunten qué necesitan. Si lo hacen, no se limiten en decir la verdad. Puede que sea más útil que los amigos o los familiares hagan una colecta para financiarles la cuna, o que les regalen bolsas de pañales, que recibir diez peluches gigantes y cinco ramos de rosas en el hospital, que luego a ver dónde los metes. También viene muy bien la ropa «crecedera», de un par de tallas más, o incluso para a partir de uno o dos años, porque lo normal es recibir muchísima ropita para los primeros meses, que no les va a dar tiempo a ponerle, y quedar abandonados a su suerte a partir del año.

Pueden hacerse una idea de otros objetos en el apartado siguiente.

Objetos útiles, objetos inútiles

1. La carriola

Vamos a empezar por una de las primeras cosas que se miran: la carriola. Parece de obligación comprarse el trío, es decir, silla, moisés y *maxicosi* (sillita portabebés para el coche). Esto, dependiendo de las marcas y los modelos, puede costar entre 15 mil 200 y 17 mil 600 pesos.

Primera reflexión: casi ningún bebé aguanta en el moisés hasta los seis meses. Pasan antes, aunque reclinados, a la silla, porque en el moisés se aburren y lloran. Además, vuelve, y con fuerza, el *porteo*, término que significa llevar al bebé encima en una mochilita o envuelto en un fular. Cuando son muy pequeños van muy a gustito pegaditos a la madre o al padre, y cuando son un poco más grandes, parece que sobrellevan mejor el aburrimiento oyendo de cerca al adulto y pudiendo ver. Sólo unos pocos irreductibles dejan al bebé tumbado hasta que le sale bigote.

Segunda reflexión: las sillas de estos conjuntos normalmente son pesadas y abultan mucho cuando se pliegan. Muchas tienen, además, unas ruedas todoterreno enormes. Y aunque en el momento de la compra nos parecía una idea buenísima para bajar con el bebé a la playa o hacer trial por montañas escarpadas, después hemos comprobado que no, que con sólo llegar hasta el parque de la esquina hemos satisfecho nuestras ansias de aventura. Piensa también en tu tipo de vida: ¿necesitarás plegarlo a menudo, por ejemplo, para subirlo al coche? Cuando lo metas en el maletero, ¿quedará espacio para llevar algo más? ¿Vives en un tercer piso sin ascensor?

Conclusión: gástate lo menos posible en el famoso trío, aunque te duela en el corazón que tu primogénito no vaya en el último modelo con la capota customizada. Pídelo prestado si puedes. E invierte en un buen portabebés para el coche y en una carriola tipo paraguas, de los que pesan y abultan poco, porque pueden tumbarse y lo usarás como mínimo hasta los dos años. También aquí hay marcas y modelos: los hay que cuestan unos 40 o 50 euros, aunque sin duda la reina es la MacLaren, que vale unos 200. Es de las más caras, pero te aseguro, después de haber usado sillitas de otras marcas, y tampoco baratas, que, si puedes permitírtelo, la inversión se compensa con su facilidad de maniobra, resistencia y ligereza.

2. La mochila portabebés o el fular

Como acabo de contar, se utiliza cada vez más, lo cual, curiosamente, supone una vuelta al pasado, pues es lo que llevaban y siguen llevando, en versión rústica, las madres en países en desarrollo para poder trabajar con un bebé casi recién nacido a cuestas. Yo la he usado, sobre todo con la más pequeña, Elisa, y, dejando aparte el hecho de que te guste más llevar a tu bebé pegado al cuerpo o en el carrito, a mí me resultó muy útil para determinadas situaciones.

Los primeros meses, por ejemplo, era subirla a la mochilita y que se quedara dormida. Así superaba los llantos en el centro comercial, y vives la contradicción de que puedes mirar tiendas con mucha más tranquilidad, aunque no puedas probarte nada de ropa; de todos modos, es probable que sólo tengas ojos para cositas para el bebé. También veo cada vez más madres que van a tiendas con el bebé colgado y empujando la carriola, que utilizan para meter las compras. Han descubierto que esta opción es mejor que empujar al bebé berreando en la carriola y llevar las compras colgando.

La mochilita también viene muy bien si tienes otro hijo mayor; así puedes atenderlo, tomarlo de la mano e incluso jugar con él, mientras el bebé cuelga de ti. O para ir a pasear por el campo o la playa. Además, hay familias que cuentan que les ha ayudado para superar los famosos cólicos del lactante.

Pero mucho ojo, porque hay varios tipos de mochila. Las que están dirigidas a padres y madres modernos, con la imagen de unos ejecutivos superdinámicos y sonrientes en la foto, ¡caca! Fíjate en si los bebés aparecen con las piernas colgando rectas o si les quedan dobladitas, en forma de *m*. Éstas, las llamadas *ergonómicas*, son las buenas. La postura que adquiere el bebé es mejor para su espalda y para tu columna.

Cuando nació David, unos amigos me prestaron una mochila del primer tipo. Creo que la usé una vez, porque lloró tanto mientras me lo intentaba colgar y luego me dolió tanto la espalda que la dejé. Con Natalia, me aconsejaron una del segundo tipo; utilicé una Manduca (hay otras marcas con muy buenas críticas y otros sistemas, como los fulares, que no he probado) y, aparte de que el bebé va muy a gusto, la mochila reparte tan bien el peso que la he podido llevar en paseos de más de dos horas con un bebé de diez kilos, sin sufrir dolores de espalda.

Lo mejor es que, cuando son pequeñitos, se duermen en dos segundos, les puedes dar besos en la coronilla cada dos por tres y esnifar su olor, algo que descubrirás que no puedes evitar. Cuando son más grandes, pero aún no andan, también les hace gracia ir ahí porque lo ven todo desde tu altura. Puedes llevarlos delante, mirando hacia ti (se desaconseja que miren hacia fuera), o a la espalda, como de caballito. Aunque te parezca que tu cuerpo les tapa la visión, lo que atisban desde ahí atrás o girando la cabeza les debe de resultar suficiente, porque no suelen protestar.

3. *Los intercomunicadores*

Resumo mi caso: yo quería comprarlos. Eduardo no. Por suerte, seguí su consejo aun a mi pesar, porque Eduardo tenía razón. ¿Para qué quieres unos intercomunicadores en un departamento de noventa metros cuadrados? ¿Crees que hay alguna posibilidad de no oír al bebé llorar, aunque quieras? Y eso si hablamos del modelo básico, porque los hay con cámara, con termómetro incorporado, o que emiten una musiquita relajante o los latidos grabados de mamá cuando el bebé se despierta... Vamos a ver, si se despierta, ¿para qué quieres la cámara, para ver cómo llora a través de una pantallita como si estuvieras viendo la tele, en vez de salir corriendo a atenderle? ¿Y de verdad crees que se calmará con una musiquita?

Otra cosa es que vivas en una casa grande de verdad, con varias plantas. Supongo que en este caso sí serán de utilidad. Nosotros sólo los usamos, prestados, en un hotelito al que vamos todos los años. Dejamos al bebé dormido en el cuarto y bajamos a cenar. Si oímos que llora, subimos escopetados. Además, me parece un sinrazón; en lugar de tranquilizarme me agobia más: estoy todo el rato mirando el receptor a ver si tiene la luz encendida o llevándomelo al oído por si suena, con la impresión de que se le han acabado las pilas o de que no recibe la señal.

4. El esterilizador

Probablemente no te lo creas porque puede que incluso tu pediatra te lo aconseje, pero no, no es necesario esterilizar todo lo que usa tu bebé. Hay otros pediatras que te explican que con fregar bien los biberones, las tetinas y los chupones o con meterlos en el lavavajillas basta. Eso sí, asegurándonos de que no quedan restos de leche ni jabón y de que se secan al aire.

La fiebre esterilizadora, sobre todo si eres primerizo, es tal que, si tienes uno de estos cacharros (los hay eléctricos y para el microondas), probablemente introducirás todo lo que creas que puede acabar en la boca del bebé, como las mordederas u otros juguetes de plástico.

Tampoco es que sea algo malo, sólo que, si lo piensas bien, puede convertirse en una pérdida de tiempo en una época de tu vida en la que no es precisamente lo que te sobra. La triste realidad es que, a menos que uses guantes estériles, cuando saques el biberón y la tetina del esterilizador, acabarás, por mucho que lo intentes, tocando algo con tus manos no estériles y contaminándolos.

Y cuando el bebé toca su sabanita, su cuna, su moisés, tu ropa, tu cara o tus manos y se lleva sus deditos a la boca, también está llevándose gérmenes, ácaros o lo que sea que te da tanto miedo. Cuando toma el pecho de la madre, si lo hace, está metiéndose en la boca otro elemento no esterilizado, faltaría más.

En fin, puedes hacerte la ilusión de que le preservas de microorganismos extraños, pero es eso, sólo una ilusión.

Pese a esto, muchos padres no quedan finalmente convencidos y siguen esterilizándolo todo hasta el día en el que pillan a su bebé-burbuja, ya con siete u ocho meses, chupando las ruedas de la carriola o la suela de un zapato. Entonces se pasan al otro extremo y, cuando al nene se le cae el chupón al suelo, lo chupan y se lo vuelven a dar, como si la saliva materna desinfectara.

5. Un saco, y duerme tranquilo

Ésta es una de mis mejores compras. No sé cómo me enteré de su existencia, pero nos ha evitado muchos desvelos por la duda de si estarán tapados o pasarán frío. Dormir, dormirás poco igual, pero al menos te ahorras una de las preocupaciones más típicas.

Los hay de diferentes tallas y grosores, pero pueden abrigar tanto como un par de mantas. Por arriba, normalmente, son tipo chaleco, aunque también los hay con mangas. Según la temperatura, se juega con la ropa de debajo: pijama más o menos gruesa, con o sin *body*, de manga larga o corta... Los hay con un cierre central, o con cierre lateral y broche en los hombros. Estos últimos son muy cómodos para cuando son bebés porque no se mueven y se los puedes poner y quitar hasta cuando los niños están dormidos, por ejemplo, para cambiarles el pañal. Ahora bien, si el niño ya se pone de pie, tienden a soltarse de los hombros y se lo pueden quitar. A mí me funcionaron bien los de la marca Grobag, pero los hay más baratos en muchas tiendas de puericultura o cadenas como C&A.

Una de las escenas más divertidas que recuerdo es ver a los niños, cuando ya saben andar, levantarse y caminar (¡y hasta correr!) con el saco puesto. Ahora que ya son mayores, nos hemos pasado a las pijamas mantas, unas pijamas de tela polar, de cuerpo entero con pies, y así tampoco nos preocupamos. Y si lo hacemos, es por si tienen demasiado calor.

6. El libro del bebé

Cuando era niña, nunca tuve la constancia suficiente como para llevar un diario. Tampoco para hacer preciosos álbumes comentados con mis fotos de viajes de juventud. Sí, soy de ese tipo de personas que tiene en una estantería tres libros del bebé, uno por cada uno de mis retoños, sólo con algunas anotaciones de peso, edad a la que empezaron a hacer esto o lo otro, y ya. Bueno, el mayor, por eso de ser el primero y el único durante año y medio, cuenta con el privilegio de tener varias fotos pegadas. Las dos siguientes, ni eso.

Si eres de los míos, ni lo intentes. Tener niños no te va a transformar súbitamente en una persona hiperconstante y organizada. Puede que consigas seguir algunas rutinas, pero si antes ya te daba pereza o te faltaba tiempo, ahora te va a faltar como nunca en tu vida. Es mi espinita, pero tampoco me queda tiempo para flagelarme mucho.

Sin embargo, puede que seas del tipo contrario, de los que tienen la capacidad de seleccionar, imprimir y recortar las mejores fotos incluso con cinco horas de sueño interrumpidas por tres despertares, de hacer comentarios tiernos con un rotulador de un color elegido especialmente para tus niños, de cogerles una impresión en tinta de sus manos y sus pies casi de recién nacidos y otra cada trimestre... Entonces, hazlo, es un recuerdo precioso. Mi madre lo hizo con mi hermano y conmigo, y me encantaba mirarlo.

7. La bañera cambiador

Es otra de las compras que nos han resultado muy útiles. Hablo de una bañera cambiador de plástico, no de un armatoste de madera tipo mueble, aunque dependerá del tamaño de tu casa y de tu gusto personal. La muestra consistía en una estructura metálica de cerca de un metro de altura, con una bañerita de plástico que se tapaba con un cambiador acolchado, un par de baldas debajo para poner cremitas, jabones, pañales, etc., y ruedas para llevarlo al baño o dejarlo en el cuarto.

La bañerita queda muy bien sobre todo las primeras semanas, cuando aún crees que el bebé se te va a resbalar en cualquier momento, porque tiene un tamaño pequeño, parece más blandita que la bañera grande, por si se da algún golpe (que se los da), y no te tienes que agachar.

La secuencia del baño es algo así: llenas la bañerita hasta la mitad con el teléfono de la ducha. Metes el termómetro con forma de hipopótamo para comprobar que el agua está a la temperatura que debe estar, según el libro sobre bebés que has leído. Metes el codo por si acaso. Llamas a tu pareja para que también meta el codo por si acaso. Introduces al bebé con el corazón acelerado. Si no te acordaste de poner antes el gel en la esponja, llamas a tu pareja para que lo ponga, no se te vaya a resbalar o voltear el bebé. Sudas. Llamas a tu pareja para que venga con la toalla. Sacas al bebé sujetándolo como si fuera una pequeña bomba de relojería y se lo pasas a tu pareja así, como en las películas.

Cuando tiene cuatro o cinco meses y ya no parece tan frágil, y es más, no para de moverse y, encima, salpica, puedes poner la bañerita dentro de la bañera grande o del plato de ducha. Así te evitas la sensación de que va a tirar toda la estructura abajo y que te deje encharcado el suelo en cada baño, pero sigue estando medio reclinado y usas mucha menos agua que llenando la bañera normal.

La parte de cambiador la puedes usar para no tener que agacharte casi hasta que el niño se vista solo, a los tres o cuatro años, y las baldas te siguen sirviendo para dejar todos los artículos de aseo y las cremitas. El nuestro costó menos de mil 700 pesos, y está más que amortizado porque lo hemos usado con tres bebés.

Hay otro tipo de bañerita que se ha puesto de moda en los últimos años; es la que yo llamo la *bañera tiesto*. Básicamente, se trata de un cubo de plástico transparente en el que metes al bebé y queda recogidito en una posición fetal que los vendedores aseguran que alivia los cólicos. No la he probado, y puede que sea un éxito, pero seguro que puedes comprar una maceta o un cubo del mismo tamaño; te saldrá mucho más barato que los 400 a 500 pesos que cuesta el original...

8. *El cojín de lactancia*

Éste es uno de esos objetos que a priori son poco sexis pero que pueden ser muy útiles ya desde el embarazo. Los hay de distintos tipos. El mío tiene forma de churro, es decir, es un cojín grande muy largo (de un metro y medio) con un relleno de bolitas que permite adaptar su forma, y es de la marca Theraline. Lo he usado ininterrumpidamente, y con distintas funciones, desde hace casi siete años. Es tan de la familia que en casa lo llamamos el Amigo Cojín.

Durante los embarazos, es como si tu pareja te dejara dormir apoyada encima de ella pero sin protestar, moverse ni dar calor. Te abrazas a tu cojín, de lado, y pones la pierna de arriba encima, una de las posturas más cómodas cuando la barriga ya no te permite moverte mucho y te duelen las lumbares.

Con el bebé recién nacido, sirve, como su nombre indica, para sujetarlo mientras mama al tiempo que tú apoyas espalda. Así evitas tener que hacer contorsionismo y levantamiento de peso. Por lo que he leído, también resulta cómodo si das el biberón.

Cuando el nene tiene unos cuatro o cinco meses, es decir,

cuando le gusta cotillear un poco incorporado, pero no se mantiene solo, le puedes hacer un respaldo con el cojín sin que vuelque por los lados. De noche, cuando aún no se sabe dar la vuelta, lo puedes utilizar como barrera de contención si te metes al bebé contigo en la cama.

Ahora que Elisa ya tiene dos años y duerme con sus hermanos, lo usamos como barrera porque su cama es, de momento, un colchón tirado en el suelo (igual suena muy rústico, pero he descubierto que hasta tiene un nombre pijo: cama Montessori).

Y cuando la pequeña lo deje de usar, ¡lo recuperaré yo para apoyarme mientras leo en la cama!

Ojo con los sacacuartos

Cuando tenemos un bebé, sobre todo si es el primero, no reparamos en gastos para que tenga «lo mejor»: el alimento para que «crezca más sano y fuerte», el juguete para «estimular más sus sentidos», la ropa de algodón ecológico para «su delicada piel», el calientatoallitas para que no tenga que sentir el frío al limpiarle las pompis... Pero de ahí a engañar en ciertos artículos..., causa hasta risa. Aunque más se deben de reír sus fabricantes, que se forran vendiendo estos productos a padres y madres incautos, que con la mejor intención olvidan que miles de millones de niños han crecido y crecen sin nada de esto y sin grandes taras.

Una pregunta que suele ser habitual en los foros de crianza es: «¿Hasta cuándo debo seguir usando detergente para bebés?». Adivina la respuesta correcta:

a) Hasta que le salgan los primeros pelos en las partes más ignotas del cuerpo, que le protejan de cualquier posible rozadura por la aspereza de la ropa lavada con detergente normal.

b) Hasta que se vaya de casa. Nunca dejará de ser tu bebé, aunque tenga 30. Y, después, que te traiga la ropa sucia cuando venga de visita, para que tú se la sigas lavando con su detergente especial.

c) ¿Tienes algún trauma por haber crecido con ropa lavada con jabón Lagarto o Colón? Tu hijo tampoco.

El tema de la alimentación es aún más indignante, sobre todo porque aquí engañan incluso algunos profesionales de la salud, que recomiendan marcas determinadas de «mi primer yogur» o leche de crecimiento bastante más caras que las normales, cuando la mayoría de los pediatras coinciden en que, salvo en caso de alergia o intolerancia, los bebés pueden tomar yogures normales desde que se pueden introducir en su alimentación, y desde el año, leche entera de vaca.

4
EL PARTO

«Tener el parto que quieres te da la fuerza y el empuje necesarios para afrontar con energía el posparto».

CIRA, madre de Ariadna, de tres años,
y de Nausika, de un mes

El servicio militar de las madres

En realidad, el embarazo y el parto son como el antiguo servicio militar de los hombres: si vas a ser madre, tienes que pasarlo, te servirá para contar algunas batallitas y, con suerte, harás algunas amigas por el camino.

Pero, al igual que el servicio militar, una vez superados, te das cuenta de que la vida real viene después. Durante meses has estado pendiente de alimentarte bien, de no fumar, de no engordar demasiado, de las pruebas médicas y las ecografías, y has pensado con cierta aprensión, si no directamente con terror, en el momento del parto. Tus amigas o conocidas te habrán contado historias buenas, malas o regulares, te habrán enseñado cuándo salir corriendo para el hospital y mil cosas más.

Si todavía no has pasado por ello, aquí tienes un consejo: infórmate mucho, es importante para parir de la mejor forma posible. Es verdad que no hay que obsesionarse ni idealizar lo que se quiere, porque, por mucho que lo planees, nunca sabes lo que puede pasar. Pero sí es importante ser consciente de algunos puntos, que trato a continuación, para evitar algunas de las heridas en el corazón (y a veces en el cuerpo) que nos puede dejar un parto mal atendido.

Eso sí, sea mejor o peor, visto con perspectiva, dura sólo unas horas, es decir, el parto es un momento comparado con ser madre toda la vida.

Hay muchas formas de parir

Con mis dos primeros embarazos, pequé de inexperta. Mira que me había hecho con todo el arsenal de libros, revistas, había entrado en foros... Pero nunca pensé en cómo quería que fuera mi parto; simplemente creía que, llegado el momento, los médicos me dirían lo que tenía que hacer. Y es lo que hice. Elegí el hospital privado donde me habían seguido el embarazo y, cuando llegó el momento, nos plantamos allí.

En los dos casos, se me rompió la fuente en casa antes de tener contracciones. Con David, desde ese instante hasta que di a luz, pasaron sólo nueve horas; fue un parto bastante rápido para ser el primero. Con Natalia, no fueron ni cinco. No tuve mucho dolor, ya que al poco tiempo de ingresar en el hospital me pusieron la epidural. Los dos partos fueron vaginales, los niños nacieron sanos, me recuperé bastante bien... O sea, dos partos perfectos a simple vista. Pero para el tercero decidí cambiar de hospital. ¿Por qué?

Porque me quedaba una heridita en el alma, un resquemor, el de que me perdí una parte muy importante de mi vida, que pasé y no me enteré muy bien de cómo fue. Recordando los partos, me sentí, en vez de como una mujer en un momento muy importante de su vida, como un cordero, al que traen y llevan y con el que hacen lo que quieren. Llegué, me ingresaron, una persona que sólo dijo que era la matrona me hizo un tacto vaginal (no pido que me inviten a salir o me regalen flores primero, pero creo que algunos profesionales no son conscientes de que como mínimo deberían presentarse, con nombre y apellidos, a una mujer a la que van a meterle la mano hasta el fondo), sin explicarme nada, ni preguntarme nada, me tumbaron, me ataron para monitorizar el ritmo cardíaco del bebé, me pusieron una vía y me enchufaron oxitocina sintética (hormona para acelerar las contracciones y el parto).

Pedí la epidural (durante el embarazo tampoco me explicaron otras alternativas, ni las ventajas ni los riesgos de ésta). No me dieron opción de beber o comer algo. Lo único de lo que me libré fue del rasurado y del enema, que, por suerte, ya no estaban incluidos en el protocolo del hospital.

De la sala de parto recuerdo poca cosa. La sensación, básicamente, fue la misma que debió de tener ET el extraterrestre cuando lo capturaron y estudiaron: tumbada en una mesa de exploración con los pies en los estribos, es decir, boca arriba, con las piernas abiertas e inmovilizada; con un enorme foco blanco cegador sobre la cara y rodeada de desconocidos de los que sólo atisbaba a ver los ojos entre el gorro, la mascarilla, la bata y los zapatos quirúrgicos; instrucciones que no sabía de quién venían sobre cuándo tenía que empujar, porque yo no sentía nada. En algún punto, después de un rato que se me hizo muy largo, dejaron pasar a Eduardo, pero con toda la parafernalia médica, lo que hacía difícil reconocerle en un momento en el que era mi único apoyo. En los dos partos me atendieron ginecólogas, que tampoco se presentaron. Me hicieron episiotomía las dos veces, sin decirme nada tampoco (por suerte, no lo noté por la epidural). Se llevaron a los bebés para pesarlos, hacerles el test de Apgar y la profilaxis típica antes de ponérmelos encima.

Comparándolos con el parto de Elisa, en el hospital universitario Puerta de Hierro de Majadahonda (Madrid), hay muchas diferencias: aquí estuve en una cama normal en la que me podía mover, bajo unas luces normales en el techo (la sala tenía también un foco de quirófano enorme, pero estaba apagado). Eduardo sólo se separó de mí el momento en el que fue a estacionar el coche, mientras me subían a la sala de dilatación. Una vez allí, estuvo conmigo durante toda la dilatación y el expulsivo, y, además, en ropa de calle.

Al ser un parto normal, me atendió una matrona, junto con una auxiliar y una enfermera de Neonatología. Iban vestidas con sus uniformes, pero sin la parafernalia del gorro y la mascarilla. Aunque tampoco se presentaron, por lo menos verles la cara resultaba tranquilizador. Tenía metido en la cabeza que lo mejor era parir en vertical, así que en medio de las contracciones, bastante intensas, no hacía más que decir: «Me quiero poner vertical». Intentaron ayudarme, aunque, entre que no tenía fuerzas y las prisas de Elisa, no pude (¡nació en hora y media desde que se me rompió la fuente en casa!). En su lugar, la matrona me aconsejó tumbarme de lado y, cuando la nena ya había sacado la cabeza, me dijo: «Incorpórate para ver a tu hija», y me dejó sacarla del todo y ponérmela encima. Eduardo cortó el cordón. Sólo vino una ginecóloga a revisarme cuando ya estaba en planta.

Tuve un pequeño desgarro que solventaron con unos pocos puntos internos, pero nada que ver con las dos episiotomías anteriores, que no tengo ni idea de si fueron necesarias porque no me explicaron ni me preguntaron nada. La recuperación, desde luego, fue mucho más rápida y menos incómoda.

Durante los dos días que estuvimos en el hospital no nos separaron de Elisa en ningún momento. Tras nacer, estuvo sobre mi pecho (de hecho, ni me di cuenta de cuándo le hicieron el test de Apgar). Después de una o dos horas, no lo recuerdo exactamente, la pesaron y la midieron, pero en la misma sala, delante de nosotros, y le aplicaron la crema en los ojos y la vitamina K encima de mí. Ya en planta, venían a pesarla al cuarto, y todas las pruebas (la de los oídos, la del talón), la vacuna de la hepatitis B, etc., se las hicieron teniéndola yo en brazos.

A David, casi cuatro años antes, me lo dejaron encima un ratito, pero se lo llevaron casi de inmediato para hacerle toda la batería de pruebas y profilaxis. Cada mañana se lo llevaban de nuestra habitación para hacerle un aspirado nasal y pesarlo. También se lo llevaron para la vacuna y la prueba del talón. A Natalia, año y medio después, me la dejaron encima un poco más antes de llevársela, pero seguían yéndose a otra habitación para las pruebas, para pesarla y para ponerle la vacuna.

El parto respetado no es una cosa de hippies radicales

Con estas largas batallitas de parto, sólo quiero mostrar gráficamente cómo pueden cambiar las cosas en función del hospital al que vayas o del personal que te atienda. Hay mucha confusión y debate radicalizado en torno al llamado *parto natural, respetado* o *no medicalizado*. En cuanto sale el tema, surgen multitud de comentarios de gente que se cree que se trata obligatoriamente de parir en casa, o que es una cosa de hippies exaltadas que prefieren volver al pasado, a la época en la que las mujeres parían con dolor, y madres y bebés morían como moscas, en lugar de aprovechar los últimos avances médicos. Nada más lejos. Mi tercer parto fue respetadísimo y se llevó a cabo con toda la seguridad que proporciona estar en un hospital público, con los quirófanos y la UVI neonatal cerca por si surgían problemas, y con personal cualificado, a la vez que formado y concienciado para preguntarme por mis preferencias, informarme de mis opciones y no intervenir más de lo necesario.

Lo mejor es consultar directamente la «Estrategia de Atención al Parto Normal», un documento con recomendaciones que han consensuado el Ministerio de Sanidad, las comunidades autónomas y las sociedades de ginecólogos y matronas, basado en la evidencia científica más reciente. Vamos, una panda de hippies radicales. Está en vigor desde 2007, y el objetivo es que se aplique en todas las maternidades de España, aunque por desgracia todavía no sucede.*

También te recomiendo *Los secretos de un parto feliz*, un libro muy documentado de la periodista Marta Espar, que incluye medio centenar de entrevistas a madres, pero también a algunos de los ginecólogos, matronas, políticos, gestores y miembros de asociaciones, como El Parto Es Nuestro (también puedes visitar su web: <www.elpartoesnuestro.es>), que se encuentran detrás de la «Estrategia de Atención al Parto Normal» y que en los últimos años están cambiando el panorama de la atención al parto.

* <www.msssi.gob.es/organizacion/sns/planCalidadSNS/pdf/equidad/estrategiaPartoEnero2008.pdf>.

Leyéndolos, descubres que prácticas que siguen siendo comunes están desaconsejadas por la evidencia científica: el rasurado, el enema o el ayuno total; la administración de oxitocina artificial sin esperar a la progresión natural del parto (provoca contracciones más dolorosas y rápidas que las naturales, lo que aumenta la demanda de analgesia epidural); obligar a la mujer a permanecer tumbada boca arriba durante la dilatación y el parto (cuando está demostrado que, si puede caminar y cambiar de posición, soporta mucho mejor el dolor de las contracciones y el parto es más rápido), o la episiotomía (que, aparte de los incómodos puntos, puede provocar disfunción sexual, incontinencia urinaria y fecal, y otras lesiones).

En España también se practican muchas más cesáreas de las recomendadas por la OMS (un máximo de 15 por ciento) y aún existe la creencia de que son más seguras que un parto vaginal, cuando, en realidad, se trata de una operación de cirugía mayor, con el consiguiente riesgo de sufrir complicaciones.

Otra cosa que descubres leyendo es que la epidural tiene sus riesgos, ya que está asociada a un período expulsivo más largo, a una mayor posibilidad de que el parto sea instrumentalizado y a un mayor riesgo de fracaso de la lactancia materna. En altas dosis, puede causar problemas respiratorios en el bebé a corto plazo y somnolencia. Eso no significa que se recomiende sufrir por sufrir, cumpliendo la maldición bíblica de parir con dolor, sino que, como me explicó Marta, se trata de una «cuestión de balance»: «¿Qué prefieres: sufrir algo de dolor durante el parto o correr el riesgo de tener que pasar tres semanas sin poder andar o con un flotador porque tienes una raja impresionante o incontinencia?». «Si no quieres aguantar el dolor no lo hagas, pero que sepas que si lo haces tiene beneficios».

No se trata de aguantar a pelo, sino de ir «de menos a más»: al principio de la dilatación, muchas mujeres encuentran las contracciones soportables si las dejan moverse libremente, adoptar la postura que quieran, con el apoyo de la persona que elijan.

También alivian mucho las duchas y los baños con agua caliente. Luego se puede pasar a otras técnicas de menor riesgo, como el óxido nitroso. Y también se podría aplicar la epidural en dosis más bajas, de forma que permita a la mujer moverse, como se hace en algunos hospitales. El problema es que procedimientos de rutina como la monitorización continua con la mujer tumbada y la oxitocina sintética provocan un efecto dominó, ya que el dolor de las contracciones durante la dilatación es mucho más fuerte.

Por último, podéis consultar la página de la Iniciativa para la Humanización de la Asistencia al Nacimiento y la Lactancia (IHAN, <www.ihan.es>), de Unicef. Los hospitales que han recibido esta acreditación han pasado por una exigente evaluación para comprobar que cumplen con ciertos requisitos en cuanto al fomento de la lactancia materna y al respeto en la atención al parto.

Las ganas de pujar, la caca y el anillo de fuego

Los cursos de preparación al parto están llenos de eufemismos. El mayor, quizá, es el de las *ganas de pujar*. Te dirán: «Cuando sientas ganas de pujar, haz esto o aquello». ¿Y cómo las reconozco? Pues cuando tengas ganas de hacer caca, eso son *ganas de pujar*. No, no suena muy romántico, teniendo en cuenta que estamos hablando del momento en el que vas a recibir a tu bebé, pero es la verdad.

Si te han puesto la epidural, puede que lo notes mucho más atenuado o que ni siquiera lo notes, por lo que te tendrán que decir cuándo pujar. ¿Y en qué consiste pujar? Pues otra vez lo mismo: en hacer como si quisieras cagar.

Y, claro, entre tantas ganas y tantos pujidos, te cagarás de verdad durante el parto, casi seguro. A algunas mujeres les da vergüenza o apuro pensarlo, pero, en serio, a nadie le importa. Los profesionales, matronas o ginecólogos, están acostumbradísimos. Desde luego, tuvieron el detalle de no mencionarlo siquiera en ninguno de mis tres partos. Tú tendrás tal confusión de sensaciones en tus partes bajas que probablemente tampoco te des cuenta. Y tu pareja o quien te acompañe, si se atreve a asomarse, verá tantos fluidos y tendrá tantas emociones que creo que será la última de sus preocupaciones.

Otra de las sensaciones curiosas que tendrás durante el parto (sin epidural) es la del anillo de fuego. Como conté cuando hablé de los cursos de preparación, cuando estaba embarazada de Elisa y ya tenía claro que quería intentar tenerla sin epidural, recibí unas clases de técnica Alexander. Aunque no pude aplicar casi nada en el parto porque fue relámpago, sí que me sirvió una cosa que me explicó mi profesora: «Cuando sientas el anillo de fuego, puja». Yo me quedé con la frase en la cabeza, porque sonaba a rito de iniciación de alguna tribu, aunque no tenía ni idea de lo que quería decir, pero cuando lo sentí, vaya que si lo reconocí.

El anillo de fuego es la sensación de que te arde toda la zona entre las piernas. Quema, de verdad. Es el momento en el que la cabeza del bebé está ya fija en la vulva, y la piel del periné se estira al máximo para dejarlo pasar. Un par de pujidos y ya está hecho.

Tu bebé en brazos: llorar, reír y dormir

Ya lo tienes en brazos. En los hospitales que van adaptando su forma de actuación a las recomendaciones científicas más actualizadas, te lo pondrán inmediatamente encima, incluso antes de cortar el cordón umbilical. En muchos libros te explican que el bebé reptará hasta tu pecho y se enganchará. La verdad es que yo la parte de reptar no la he visto, pero sí recuerdo la sensación de emoción e incredulidad al tener a cada uno de ellos encima por primera vez.

No sabes si reír o llorar. Yo hice las dos cosas, no podía dejar de mirarlos, mirar a Eduardo, volver a mirarlos y darles besos en la cabeza, peludita, y aún llena de vermix y restos pegajosos de vete a saber qué.

Pero también puede que no hagas ninguna de estas cosas, que estés agotada o agobiada, que mires al recién nacido con extrañeza y no lo acabes de reconocer ni sientas la felicidad que se supone que da el momento. Si te pasa o te ha pasado esto último, que sepas que también es normal: hay madres que sienten el famoso apego, el vínculo con el bebé que te vuelve una leona hiperprotectora y te desborda de amor desde el primer minuto, y otras que tardan días o meses.

5
LOS PRIMEROS DÍAS. ¿Y AHORA QUÉ?

«No tengo tiempo de pensar en nada, solo en lo cansado que estoy. Todo lo demás me da igual».

ALBERTO, padre de Eva, de ocho meses

Aviso para navegantes: el mes de infierno

Meses temiendo y esperando el parto, informándonos de qué hay que llevar al hospital, qué papeleo tenemos que hacer, qué ropita o qué carrito es mejor comprar y mil detalles más. Pero, cuando al fin tenemos al bebé con nosotros y volvemos a casa con él, nos damos cuenta de que nos han ocultado la información más importante: los primeros días, incluso el primer par de meses, son muy duros.

Ahí es cuando piensas: «¿Por qué nadie me contó esto?». Pero DE VERDAD. Porque, en los libros sobre el embarazo, este primer período se despacha en un capitulillo al final, en plan: «Intenta descansar cuando puedas para tener una buena recuperación» o «La ayuda del padre será fundamental». Tus amigos que ya han pasado por esto se limitan a: «Uf, qué poco se duerme» o «Sí, estoy cansado, pero bien». Y nadie te hace el resumen de verdad. ¿Será memoria selectiva? ¿Querrán que tú sufras como han sufrido ellos antes? ¿Es una prueba iniciática? O quizá sea que estaban tan cansados que ni se acuerdan de lo que pasó esos días...

Al principio, en el hospital, sientes una mezcla de incredulidad, felicidad e inseguridad. Es como la primera clase de práctica en la autoescuela: estás muerto de miedo, pero no entras en modo pánico porque sabes que, aunque la riegues, el profesor puede pisar el freno por ti. Matronas, enfermeras, médicos pasan de vez en cuando y te dan consejos o puedes preguntar dudas, o llamar a alguien porque el bebé no para de llorar, o porque no se engancha bien al pecho, o porque no te atreves a bañarlo. Te hacen la comida y, aunque sea un asco, te la traen, algo que en ese momento no valoras lo suficiente.

Iluso de ti, estás deseando volver a casa con el pequeñín, crees que ya te las arreglaste. Entonces es cuando se te pone la cara de zombi por dormir a intervalos de unas tres horas, y empiezas a agobiarte por todo: por si come, duerme o caga lo suficiente o demasiado, por si tiene frío o calor, porque llora y no sabes el motivo, porque no sabes cómo coger a una criatura tan pequeña y que parece tan frágil... A esto hay que añadir que la madre, pese a sufrir la incomodidad de los puntos y el sangrado o de la recuperación de la cesárea, pese al sueño, pese a los cambios de humor, la tristeza y las ganas de llorar causadas por los subidones y bajones hormonales, o incluso pese a la depresión posparto, muchas veces tiene que hacer frente sola a la mayor parte del día por lo mezquinos que son los permisos de paternidad. Y cuidar de un bebé recién nacido agota, tanto física como mentalmente.

El ciclo del tamagotchi: comer, cagar y dormir

¿Te acuerdas de los tamagotchis? Eran unos huevitos electrónicos que se pusieron de moda en los años 90, a los que había que cuidar apretando unos botoncitos. Las *primeras mascotas interactivas*, las llamaban, aunque, en realidad, eran bastante sosas: les dabas de comer, las limpiabas, jugabas con ellas o las ponías a dormir según pitaban, de forma cíclica, y cuando te descuidabas se habían muerto. Mi compañero Javi, padre de dos criaturas, bromea con que, durante los primeros meses, los bebés son como tamagotchis. Y algo de razón tiene. Cuidar de los recién nacidos es muy cíclico y repetitivo, aunque es verdad que resulta algo más entretenido y, por suerte, pese a su apariencia frágil, son más resistentes que los tamagotchis.

La rutina del bebé gira alrededor de la comida. Aunque aún quedan pediatras de los antiguos, que dicen que hay que darles de comer cada tres horas, la recomendación actual, basada en la ciencia, es que, tanto si les das pecho como biberón, hay que alimentarlos a demanda, es decir, cuando pidan, porque solo ellos saben cuándo tienen hambre. En la práctica, yo usaba la referencia de las tres horas como orientación, como la media de tiempo que aguantaban sin comer. Es decir, que si habían pasado entre dos y cuatro horas desde la última toma, y el bebé lloraba, me imaginaba que era porque tenía hambre y lo primero que hacía era intentar darle el pecho. Y si había pasado mucho menos tiempo, primero intentaba otra cosa.

Pero no es sólo que cada bebé sea un mundo, sino que un mismo bebé puede variar el ritmo de un día para otro o incluso de una comida para otra. Algunos aguantan hora y pico o dos horas entre toma y toma; otros, cuatro o cinco. Algunos aguantan unas tres horas normalmente y, de repente, un día piden toma cada hora y pico. Esto es probable que se deba a lo que se conoce como *crisis de crecimiento*, es decir, maman más para estimular el pecho y que produzca más leche porque necesitan mayor cantidad; el cuerpo, muy sabio, se adapta a esta nueva petición en un par de días.

Tarden lo que tarden entre toma y toma, el ciclo viene a ser el mismo: comer, cagar y dormir, aunque no necesariamente en ese orden, y no necesariamente en actos independientes, esto es, que se duermen mamando y que cagan durmiendo. Esta mezcla, sobre todo al principio, puede ser desesperante, porque maman adormilados, tú no lo acuestas por si tiene más hambre, y, al final, las comidas se alargan y casi se solapan. Pero, vamos, cada tres-cuatro horas comen, les cambias de pañal y, si tienes suerte, duermen un rato, y tú también.

Pero ¿por qué llora?
Ésta es una de las preguntas que más hacía yo los primeros meses. En realidad, es una pregunta retórica, porque el principal interesado en que encuentres la causa, el bebé, no puede hablar, y probablemente tu pareja esté tan agobiada como tú y, por su-

puesto, no tenga la menor idea de la respuesta. ¿O es que crees que si lo supiera no te lo habría dicho ya?

Porque hay pocas cosas tan agobiantes como un bebé llorando. Y me refiero a llorar de verdad, a pleno pulmón (¿cómo puede hacer tanto ruido algo tan pequeñito?), poniéndose rojo y rígido incluso en tus brazos, durante minutos que se hacen interminables y a veces incluso durante horas.

Al principio, repasas la lista habitual: ¿tendrá hambre? ¿Frío? ¿Calor? ¿Se ha hecho caca? ¿Se sentirá solo? ¿Estará enfermo? Si tienes gente alrededor, empieza el juego de las adivinanzas, en el que todos te dan su opinión y, normalmente, consiguen agobiarte más aún. Cuando ya has repasado toda la lista, te has planteado todas las opciones y ves que sigue llorando, sólo cabe preguntarse, una y otra vez: «Pero ¿por qué llora?», tú también al borde de las lágrimas.

Pistas que no suelen salir en los libros ni en las revistas: los primeros días, David lloraba muchísimo cuando le cambiábamos de ropa. El pediatra que le hizo la revisión a los ocho días nos explicó que tenía la clavícula rota de tirar de él durante el parto, que era algo que pasaba a veces y que se curaba solo.

De nuevo con David, tardé varias semanas en darme cuenta de que los bebés también pueden llorar por sueño. Normalmente se me dormía en el pecho, pero otras veces sólo necesitaba que le dejáramos tranquilo un rato para dormir. Con otros niños sucede justo al contrario, y lo que los calma es estar siempre pegaditos a ti; por eso funcionan tan bien las mochilas portabebés de las que he hablado en el capítulo 3, «Fiebre materialista».

Leí hace poco sobre el llamado *síndrome del torniquete por cabellos o hilos*. Vamos, que un pelo, normalmente de adulto, o un hilo suelto de la ropa se enreda en una parte del cuerpo del bebé, en un dedo, por ejemplo, o en el pene en el caso de los nenes, y si no se descubre pronto se le puede clavar, hacerle un surco y hundírsele en la carne. No es muy habitual, pero los médicos aconsejan que, si llora mucho y no sabes por qué, lo desnudes y lo revises bien.

Pero la realidad es que muchas veces te vas a quedar sin saber por qué llora. De repente, se le pasa. O se queda dormido. Y tú, con el corazón en un puño, sin respuestas. Puede que por eso, porque nos tranquiliza más tener una respuesta, aunque no podamos hacer nada al respecto, los pediatras le pusieron un nombre a eso de llorar y llorar los primeros meses; me refiero a los famosos cólicos del lactante. La mayoría de los padres están convencidos de que existen y de que los causan el dolor de barriga y los gases. Sin embargo, hay muchos pediatras que explican que, probablemente, la acumulación de gases es la consecuencia, y no la causa, de tanto llanto y que la razón por la que lloran no está demostrada. Vamos, para ellos también es un misterio. Eso sí, los fabricantes de infusiones y productos homeopáticos se forran de dinero mientras a costa de los pobres padres crédulos y desesperados.

Y aquí va un último consejo. Cuando no pare de llorar, pásalo. Sí, el viejo truco de la bomba de relojería. Muchas veces llevas horas intentando calmar al bebé y, en cuanto lo coge otra persona, recién llegada y que no está totalmente atacada de los nervios, se calla y se duerme. Fastidia mucho, pero al menos ha dejado de llorar.

Arma de agobio masivo: la tabla de percentiles

De bebé, yo era gorda. Mucho. No sé si venía de familia o de la alimentación (tomé biberones desde que nací). Mi hermano ganó una pirámide de botes de leche en polvo en un concurso de bebés «sanos» (en casa lo llamamos el concurso de bebés *gordos*) en Taiwán. En las fotos en las que aparezco con pocos meses, desbordo la hamaquita con mis cachetes y gorditos en las piernas; esto, junto con mis pelos negros de punta, me daba más un aire de muñeco diabólico que de adorable muñequita oriental. Pero era muy graciosa.

Por alguna extraña razón, hasta que tienen uno o dos años, los bebés nos gustan gordos, sobre todo a las abuelas («¡Qué rico, pero mira qué muslazos!»). Ahora bien, en cuanto superan esa edad, la cosa cambia, y pensamos que los padres hinchan al niño a bollos y que no se preocupan de que haga suficiente deporte. Así pues, si tus bebés son delgaditos, como los míos, prepárate para sufrir o aprende a pasar de todo.

Cuando David y Natalia eran bebés, iba a la farmacia cada semana para cumplir con el ritual del peso. Nuestro pediatra de entonces nos dijo que había que comprobar si engordaban o no con esa frecuencia. Así que, una vez a la semana, acudía con el pequeñín de turno, intentando que fuera a la misma hora del día y que llevara una ropa similar, para que la que atiende la farmacia lo pusiera en la báscula y apuntara en una tabla, que yo guardaba como si fuera la de la ley, el día y el resultado.

Luego, de vuelta a casa, calculaba mentalmente si había ganado entre 150 y 200 gramos, que era lo que me habían dicho que tenía que engordar. Si me tocaba ir un martes e iba el miércoles, incluso hacía la división para calcular el peso que tenía que ganar cada día y hacía una regla de tres. Si engordaba más de lo establecido, sonrisa de satisfacción. Si se quedaba justito o no llegaba, empezaba el agobio. ¿Mamará lo suficiente? ¿Se quedará con hambre? El bebé de la vecina pesa medio kilo más. Y la abuela lo ve flaquito...

En casa, miraba la tabla de peso que viene en la cartilla de salud del bebé, para comprobar si se mantenía en el mismo percentil. Sí, el famoso percentil, ese término que conocen todos los padres aunque no hayan estudiado estadística.

La tabla muestra varias curvas que relacionan la edad y el peso o la altura, y están numeradas (97, 90, 75, 50, 25, 10 y 3). Todos, desde el percentil 3 hasta el 97, están igual de sanos (lo que indican los números es que de 100 niños sanos de la misma edad, el tuyo está en el puesto 3 o en el 97 si los ordenas por peso). Cuando te dan la cartilla, el pediatra te pinta un puntito en el peso que tiene el bebé al nacer y, en cada revisión, te marca el puntito correspondiente a su edad; así se va formando su curva y puedes ir comprobando si engorda y crece a un ritmo adecuado.

Esto, que en teoría es una herramienta estupenda para detectar problemas de alimentación o crecimiento, se convierte, en manos de unos padres primerizos, en un arma de agobio masivo que no sé a qué mente preclara se le ocurrió poner a nuestra disposición, así, sin más. Porque, te hayan explicado o no el significado de la curva, tú, cuando la miras, ves un carril por el que debe circular tu bebé, y si se sale, que sea siempre hacia arriba. Si está por encima de 50, incluso si se sale por arriba, nadie se preocupa, porque, como decía al principio, relacionamos bebé gordito con bebé sano. Pero si está por debajo de 50, te alarmas, aunque sea un poquito.

En realidad, lo que preocupa a los pediatras es que den bandazos bruscos (una pérdida de peso repentina) o que circulen directamente por el arcén (por debajo del percentil 3). Si no es así, y el bebé está sano, animado, hace sus pises y sus cacas con normalidad, ni se preocupan por el peso. De hecho, muchos recomiendan no pesarlo cada semana, sino una vez al mes, a menos que haya habido algún signo de alarma, ya que el aumento de peso, sobre todo en los bebés que toman el pecho, no es uniforme, y una semana pueden engordar más y a la siguiente menos.

Para que te hagas una idea, mis tres niños empezaron en el percentil 50 al nacer, pero luego fueron bajando. David y Elisa se han mantenido cerca del 25, pero Natalia, desde los seis meses, está entre el 3 y el 10. La diferencia entre dos niños de la misma edad, ambos igual de sanos, puede ser tan grande que, por ejemplo, una niña de dos años en el percentil 3 no llega a los diez kilos, mientras que una en el 97 pesa quince. (¡Natalia no ha pesado quince kilos hasta los cuatro años y medio!)

Así que a menos que haya otros signos de alarma, ¡a olvidarse del pesado semanal y de los percentiles! Y ahora una sugerencia para las autoridades sanitarias: ¡quiten las dichosas tablas de las cartillas de crecimiento! Con la cantidad de revisiones por las que pasan los bebés, el pediatra puede controlar perfectamente la evolución del peso y avisar a los padres en caso de que vea algo preocupante, sin que estos tengan que sentir que están en una carrera constante para que el bebé engorde.

Peligro, visitas

Lo has vivido ya desde el otro lado: una amiga o un familiar tiene un bebé, y, de repente, aunque hace meses que no se ven o hablan, surge la obligación de ir a visitarla. Si te da tiempo, compras un detallito, pasas por el hospital, repartes besos, dices lo mono que es el bebé y, después de un rato de charla interrumpida por llantos, enfermeras, cambios de pañal o llamadas, te vas. Si llegas tarde, la visita la haces a domicilio.

Ahora vamos a verlo desde el otro lado: madre recién parida, es decir, dolorida, incómoda y con falta de sueño. En el hospital, probablemente con una pinta espantosa y un molesto camisón que se le abre por detrás, dejando ver las enormes bragas de papel o de abuela que, con suerte, no estarán manchadas por el sangrado posparto. El pelo sucio, ojeras, nerviosa e insegura porque todavía no se encuentra con el bebé, porque quizá no se le agarre bien al pecho, porque llora y no sabe qué hacer.

Y llega la visita. Alguien que te trae otro centro de flores, otro peluche, y al que hay que atender con una sonrisa cuando lo que estás deseando es saber qué hacer con el pequeño ser que te han plantado en brazos, o dormir, si es que por casualidad el miniser duerme. Y esto si no son visitas de las que dan consejos, porque lo que menos quieres oír en estos momentos son comentarios que te hagan sentir más insegura todavía.

Si la visita viene a casa, te sientes obligada, además, a ejercer de anfitriona, a preparar café, a tener la casa medio decente y a dar conversación, pero con la ventaja de que ya no se te verá el culo con el camisón del hospital.

Conclusión: los primeros días, visita sólo si eres una persona realmente cercana a los padres. Si no es tu caso, puedes llamar por teléfono y esperar un par de meses, cuando esté todo asentado. Si vas, entérate de si realmente eres bien recibido en ese momento, intenta echar una mano o, por lo menos, no dar trabajo. Los consejos, con cuentagotas y mucha delicadeza. Y, sobre todo, acuérdate de llevar jamón, que, aunque se repita como regalo, nunca sobra.

El chupón no es automático

Probablemente, uno de los objetos que con más rapidez nos viene a la mente cuando pensamos en un bebé es el chupón. Nos creemos que es automático, se lo metes en la boca, y, milagro, empieza a succionar...

Pues no. Hay bebés que no quieren el chupón. Que lo empujan para fuera con su lengüita de gato. O que directamente lo escupen. Ninguno de mis niños lo usó, puede que porque no insistiéramos lo suficiente, aunque sí que lo intentamos, porque pensábamos que, con un chupón en la boca, llorarían menos en algunos momentos. Y es que sólo hay que recordar su nombre en inglés: *pacifier*, es decir, *pacificador*.

Un día, con David en pleno cólico (sí, de esos que no existen pero que no veas cómo fastidian), una amiga que vino a visitarnos me enseñó que había que mantenerle el chupón en la boca empujando con la mano hasta que se pusiera a succionar. Funcionó algunos minutos, pero después volvió a echarlo.

Parece ser que es más normal que lo rechacen los bebés a los que se les da el pecho a demanda. Después de todo, no es que nos utilicen a las madres de chupón, como suele decirse, sino al revés, que el chupón se inventó para imitar el pezón y satisfacer el reflejo de succión de los bebés. De modo que, si tienen el original a mano, es normal que lo prefieran a uno artificial. Además, los médicos recomiendan no dar el chupón hasta que esté bien instaurada la lactancia, es decir, ya cerca del mes, para que el bebé no se confunda, porque la forma de succionar tetina y pezón es distinta. Y, claro, cuanto mayor sea el niño, más difícil es que se acostumbre al chupón. Pero también hay muchos bebés de pecho que lo usan. Así que puede que nosotros no insistiéramos lo suficiente o que, simplemente, haya bebés a los que no les gusta.

Si este también es tu caso, notarás que, aunque al principio tienes un recurso menos cuando el bebé llora, en cuanto cumple el año, los demás padres te miran con envidia. Porque ahora tienen que pensar en cómo hacer para quitarle el chupón.

Aspirando al bebé

Puede que hayas oído que los bebés pequeñitos huelen bien. Y es verdad. No sé cómo describir ese olor; simplemente, diría que huelen a bebé. Los primeros meses, una de las sensaciones más agradables es tener al pequeñín en brazos, con la cabecita cerca de tu cara, y, de vez en cuando, acercar la nariz e inspirar profundamente.

Esto, algo que hemos comprobado todos los que hemos sujetado a un bebé en brazos, tiene una explicación científica. Según un estudio reciente realizado por especialistas de diversas universidades, el olor a bebé es tan adictivo como la droga, ya que activa las áreas cerebrales relacionadas con la satisfacción en las madres, e incluso en las mujeres que no lo son. Además, tiene como función establecer una relación química entre el bebé y la madre, para que ésta sienta la necesidad biológica de proteger y alimentar al recién nacido.[*]

Y doy fe de que funciona. Yo olía las cabecitas de mis pequeñines a la menor ocasión: cuando mamaban, cuando dormían, cuando los tenía en brazos... y era de lo más relajante, dentro de la vorágine: era de esos momentos en que te sientes feliz de verdad y piensas que todos los malos ratos compensan. Así que pasa de colonias y disfruta de ese olor. Aspira al bebé, que es lo más natural y sano.

En defensa de los brazos

Una de las advertencias apocalípticas que más escucharás cuando vuelvan con el recién nacido a casa es: «Déjalo en la cuna, que si no

---

[*] <www.frontiersin.org/Journal/10.3389/fpsyg.2013.00597/full>.

se acostumbra a los brazos». En mi caso, venían por parte de mi madre, de mi suegra y de la señora Chu, que nos ayuda con los niños desde que nació Elisa. Pero lo curioso es que, en cuanto el nene o la nena decían: «Buaaa», todas corrían... a tomarlos en brazos.

Eso refuerza mi convencimiento de que tomar a un bebé en brazos es instintivo y natural. Desde que nació David, es lo que me sale, sin clases, sin videos demostrativos, sin madres cercanas de las que tomar ejemplo. Si el bebé llora, lo cargo. Si se me duerme mientras está en brazos y no tengo otra cosa que hacer, me lo quedo. Si no llora pero sospecho que llorará si lo suelto, me lo quedo en brazos. «¿Se acostumbran?», me pregunto. «¿Y qué?», me respondo.

Lo reconozco, cuando eran pequeñitos, me encantaba tener a mis bebés en brazos. Mientras les daba de comer, o justo al acabar, me podía quedar tranquilamente una hora con ellos encima, solo mirándolos mientras dormían, como si ese fuera el mejor lugar del mundo en el que estar. Y decirles cosas bajito, llamarlos por su nombre, o por un apodo cariñoso, acariciarles el pelo, estrujarlos, darles besos en cualquier momento, hacerles cosquillas en los pies... Enseñarles cosas cuando son más grandes. Cantarles al oído. Y, cuando lloran, saber que mis brazos tienen el poder de calmarlos.

Mucha gente —abuelas, vecinos, expertos— recomienda acostarlos en la cuna o en la carriola, para que no se acostumbren a los brazos. Y si se acostumbran, y si luego cuesta más dormirlos, y si te reclaman..., ¿qué? No cambiaría esos momentos con mis pequeños, David, Natalia y Elisa, en brazos por nada.

No digo que tengamos que llevar al bebé encima las veinticuatro horas. Pero tampoco es normal que lo intentemos soltar —en la hamaca, la cuna, la carriola, el tapete de actividades— a la primera de cambio y que pretendamos que se queden ahí horas sin rechistar. Y es que aunque nosotros sepamos que no hay peligro, los bebés, que todavía actúan por instinto de supervivencia, como todos los animales, no lo saben y buscan a sus padres.

Aún recuerdo las palabras de una vecina, con cierta pena, un día que me vio con David en brazos cuando era bebé: «Me hubiera gustado coger más a mi hijo —era un año mayor que David—, pero como dicen que así se acostumbran...». «¿Y qué?», hubiera querido decirle, aunque me venció el pudor. Que se acostumbren. Crecen enseguida, no es un tópico, y ya no hay forma de que se queden entre tus brazos más de un minuto seguido, por muchas ganas que tengas.

En pijama y sin duchar hasta la hora de comer: ¿en qué se me ha ido la mañana?

Los primeros días en casa sueles estar acompañada. Pero cuando pasan una o dos semanas, el permiso del padre se ha acabado y tu madre, tu suegra o tu mejor amiga ya no pasan a verte con tanta frecuencia, te descubrirás muchos días en pijama y sin duchar a la hora de comer.

Te llama tu pareja y te pregunta: «¿Qué tal?». Bueno... «¿Y qué has estado haciendo toda la mañana?» Te estrujas la cabeza y no sabes qué has hecho. Bueno, sí, el ciclo del tamagotchi. «¿Y cuando dormía no has podido ducharte y vestirte...?» En teoría sí, pero en la práctica, no sabes por qué, no has podido.

Recuerdas que te has levantado sobre las siete, que le has dado una toma, se ha quedado adormilado, has intentado dejarlo en la cuna, ha llorado, has vuelto a cargarlo, se ha vuelto a dormir, se ha hecho caca, le has cambiado el pañal, ha vuelto a llorar, le has vuelto a dar el pecho, y así, sólo en eso, que se cuenta tan rápido, se te han ido cinco horas.

Lo de «Aprovecha que duerme para dormir tú» te suena a risa. Si ni siquiera has podido hacer la comida...

Y esto hay días en los que se lleva bien, que disfrutas simplemente teniendo al pequeñín dormido en brazos y ni siquiera te preocupa lo de no vestirte. Pero hay otros en los que resulta agobiante, se te cae la casa encima, odias o envidias a tu pareja por estar en el trabajo y no contigo, intentas salir a dar una vuelta o comprar algo y descubres que, cuando consigues que estén los dos listos, ya está la tienda cerrada o ha empezado a llover...

¿Consejos? Pedir ayuda a familiares y amigos en forma de *tuppers*, que te hagan la compra o que se queden contigo un rato cada mañana para que te puedas dar una ducha tranquila. El día se afronta mucho mejor así. Si no tienes esta posibilidad, lo más fácil es sentar al bebé en la hamaquita y llevártelo al baño. Puede que llore, pero al menos lo ves y estás segura de que no le pasa nada grave en los dos minutos que tardas en ducharte.

La venganza de la regla
Lo leí en libros, me lo contaron en las clases de preparación al parto y una amiga que había parido meses antes que yo incluso me dio unas compresas que le habían sobrado. Aun así, creo que no me acabé de enterar de lo que eran los loquios hasta después del primer parto. Pero, en realidad, es muy simple: te tiras mes y pico expulsando una mezcla de sangre, moco cervical y tejido placentario que te queda dentro a consecuencia del embarazo.

¿En alguna ocasión pensaste durante el embarazo: «¡Qué bien, nueve meses sin la regla!»? Pues es como si ahora se vengara y te viniera toda seguida. Vamos, que es como una menstruación que dura entre dos semanas y mes y medio, y mucho más incómoda.

Si te han hecho la episiotomía o has sufrido un desgarro, tendrás puntos, que ya es difícil que cicatricen porque están en un lugar, ejem, húmedo de por sí. Así que, por mucho que intentes mantenerte seca después de hacer pipí, con el sangrado es imposible, porque al principio, además, es abundante. Como no puedes usar tampones por el riesgo de contraer infecciones, te suelen recomendar, para los primeros días, unas enormes compresas tocológicas de algodón, que ni tienen alas, ni son ultrafinas, ni huelen a nubes, ni siquiera llevan una tira adhesiva para pegarlas a la pantaleta. Esto debe de ser lo más cerca que vamos a estar de lo que aguantaban nuestras abuelas cuando tenían la regla.

Así que, como ya te sobra la tira de tiempo con el bebé, cada vez que vas al baño tienes que lavarte en el bidé escrupulosamente, secarte con golpecitos de toalla, echarte algún producto cicatrizante (a mí me fue bien con la blastoestimulina en polvo y el aceite de rosa mosqueta) y cambiarte la compresa.

Poco a poco la cosa va mejorando y los loquios son menos abundantes. Aunque, ojo, porque hay días en los que crees que ya casi no tienes nada y te sientes la mar de liberada con un pequeño pantiprotector, pero, de repente, ¡zas!, contraatacan...

Échale jengibre al puerperio

Pollo con aceite de sésamo y jengibre para depurar el cuerpo, manitas de cerdo con cacahuetes para tener más leche, hígado para recuperar sangre... Estos son algunos de los platos que me preparó mi madre durante el primer mes después de nacer Elisa. En chino, a este momento se le conoce como *zuo yue zi*, literalmente, *hacer el mes*, el período que aquí llamamos *puerperio* o *cuarentena*.

En realidad, lo mío fue una versión bastante *light* de un verdadero posparto según las reglas de la medicina tradicional china. Durante este mes, la idea es que la madre descanse y se recupere físicamente, y que los órganos internos vuelvan a su posición y forma tras los cambios que ha sufrido el cuerpo durante el embarazo debido al aumento de tamaño del útero. En muchas culturas existen tradiciones similares, y, aunque se van perdiendo, las mujeres chinas, de hecho, siguen creyendo que envejecen mejor que las occidentales porque han podido recuperarse bien durante este mes.

Antiguamente, la madre china reciente ni siquiera salía de casa durante ese período. Tenía que evitar las corrientes de aire, comer o beber cosas frías o lavarse con agua fría. Su madre, o la suegra, se encargaba de cocinarle los platos, con muchos ingredientes de la medicina tradicional china, como las bayas de goji, el ginseng o las orejas de árbol blancas (un hongo), y muchos de ellos estofados sin nada de sal y con licor de arroz. Y es que hay unos alimentos recomendados para cada una de las semanas que siguen al parto. Y se aconseja comer decenas de huevos al día (supongo que, en épocas de mucha pobreza y escasos alimentos, era un lujo que se reservaba para la puérpera), el regalo típico que llevaban las visitas en los pueblos.

Mi madre recuerda que durante sus puerperios desayunaba dos huevos con arroz fermentado y azúcar, y que comía mucho pollo de huesos negros (¡sí, existe, aquí lo he visto alguna vez!), que se dice que alimenta más. Pero también me cuenta que en Taiwán, ya en su época, esta dieta no se seguía tan estricta como en China, donde todavía hoy se le da bastante importancia. De hecho, en China se han puesto de moda unos centros a los que las mujeres que no tienen quien les cocine y las ayude pueden acudir a pasar la cuarentena por unos 52 mil pesos a cambio. Es más, en los periódicos chinos que se publican en Madrid hay muchas mujeres que se anuncian como especialistas en *zuo yue zi*, es decir, se ofrecen para acompañar a la madre reciente durante ese mes, le cocinan, la ayudan en las tareas de la casa y cuidan del bebé durante la noche, por unos 26 mil pesos. Una figura que me recuerda un poco a la de las actuales doulas (mujeres que asisten a otras en lo emocional y lo físico durante el embarazo, parto y puerperio).

La primera vez que oí la expresión *zuo yue zi* fue estando embarazada de David. De ese posparto, sólo recuerdo el pollo con aceite de sésamo y jengibre. Pero mi madre fue aumentando el repertorio de recetas con Natalia, y dio el do de pecho con Elisa, buscando y probando platos desde meses antes, aunque, por suerte, me dispensó de la ausencia total de sal. Hay recetas que están ricas y otras resultan un tanto desconcertantes, pero, en cualquier caso, se agradece mucho tener comida hecha durante esos días tan agotadores (¡gracias, mamá!). Eso sí, por lo que ya no pasé es por lo de no poder salir de casa (creo que al día siguiente de volver del hospital ya estaba trotando), y en el caso de Elisa, que nació en mitad del verano, incluso me metí algún día a la piscina.

Ya sé que no siempre se puede, pero, si tienen madre, suegra u otros familiares o amigos que se ofrezcan a ayudarte con cualquier cosa (comida, casa, cuidar de los hermanos mayores), no los rechaces ni sientas vergüenza. Es lo que se hacía tradicionalmente, cuando se vivía más en comunidad: cuidar de las recién paridas, porque el mayor trabajo, gestar y parir, ha sido el suyo, y porque si la madre está bien, podrá cuidar mejor del bebé.

Pelos a puñados

Por describirlo de forma gráfica, así, sin exagerar: con los pelos que se me cayeron después de cada embarazo me pude hacer un oso de peluche. O una peluca. Si los hubiera trenzado, tendría una preciosa alfombra. De salón. Cada vez que me levantaba de la cama, la almohada estaba llena de pelos. Y cuando me peinaba, parecía otoño.

Hay muchos mitos sobre las razones de la caída del cabello, que dura varios meses. Muchos creen que tiene que ver con dar el pecho. En realidad, es simplemente que, durante el embarazo, el subidón de estrógenos frena la caída normal y activa el crecimiento de más pelo. Después, cuando deja la concentración de hormonas, se reactiva la caída normal al mismo tiempo que se caen todos los pelos que no se te cayeron los meses anteriores.

No se puede evitar. Y para no agobiarme mucho viendo la cama, la ducha, el suelo, el sofá, el plato de sopa llenos de pelos delatores, opté por lo más radical y me lo corté. Total, tampoco tenía tiempo para peinarme...

Los recién nacidos son feos; sí, el tuyo también

«¡Qué bonito!», «Tiene la nariz de su padre», «Cuánto pelo» son los comentarios típicos que hacen los familiares, amigos o vecinos para describir al recién nacido. En realidad, todos esconden un sentimiento, que nadie se atreve a expresar, y menos a los flamantes nuevos padres: «Tu bebé es feo». Y no tiene nada que ver la genética, es que lo son todos. Pero tú no te das cuenta hasta meses, puede que años, después.

Recuerdo los primeros días que pasé con mi primer bebé, cómo lo miraba embelesada mientras mamaba o mientras dormía. Y lo bonito que me parecía. «¡Qué suerte, qué guapo me ha salido!, no como el de fulanita», pensaba. Recuerdo también cómo miraba y remiraba el reportaje que le hizo un fotógrafo profesional en el hospital, esas imágenes «sin compromiso» que no puedes rechazar, previo pago, porque está tu bebé —con más Photoshop que una actriz de Hollywood— tan bonito...

¿Subidón hormonal que nubla la mente? ¿Mecanismo de la naturaleza para que los padres cuiden de los recién nacidos y no nos extingamos? No lo sé; el caso es que meses después, cuando tu bebé deja de ser un simple cacho de carne —el famoso tamagotchi— y te empieza a poner caritas, a sonreír y a hacer monerías, vuelves a mirar esas fotos de los primeros días. ¡Sorpresa!: «Qué de granitos tenía», «Menos mal que le ha crecido la nariz», «No recuerdo que tuviera esa espalda tan peluda». Estás en el camino de reconocer que tu bebé, ése al que no podías dejar de mirar, era feo.

Entonces, quizá, alguna abuela te reconozca que el bebé era feísimo y que menos mal que ha mejorado. Empiezas a mirar las fotos de su primer cumplemés con cierta extrañeza, ¿quién era ese monillo diminuto que dormía mientras tú le mirabas con orgullo?

Por suerte, ahora es guapo de verdad.

El animalito va siempre hacia delante y otras torpezas de primerizos

Cuando te ves en casa sólo con el bebé, de repente, te sientes torpe. Da igual que antes fueras MacGyver; de pronto descubres que necesitas un plano para abrochar un *body* de los que se abren por delante o que te da pánico el momento de cortarle por primera vez las uñas.

El *body* abierto es, hasta que le encuentras el truco, un artefacto infernal. Eduardo seguía sudando sangre cuando le tenía que poner uno a Elisa, y eso que es su cuarta hija y que no es torpe precisamente. A la duda de qué parte va arriba o abajo, dentro o fuera, se le suma la infinidad de corchetes automáticos que hay que abrochar. Claro que cada uno tiene sus fijaciones: cuando todavía no sostenían la cabeza, yo prefería eso a ponerles un *body* cerrado, porque me daba la sensación de que o se ahogaban hasta que conseguía sacársela por la abertura o de que se me iban a descoyuntar si lo hacía demasiado rápido.

Y hablando de broches, hay una fase en la vida del padre primerizo en la que manipula tantos que hasta sueña con ellos. De acuerdo, facilitan la vida moderna, no hay más que probar algún modelito con botones de verdad, con ojal, que los hay, debido a algún arranque de sadismo de los fabricantes. Pero durante los primeros meses del bebé, calculado de forma rápida, fácilmente puedes llegar a abrochar y desabrochar una media de 60 broches al día. ¿Exagero? Si le pones el mameluco, que es lo más cómodo al principio, en cada cambio de pañal ya tienes casi diez (los de las piernas de la pijama y los tres del *body*), más los de las partes de arriba de cualquier prenda y alguno más si se mancha y lo tienes que cambiar entero. A estos, súmales los de las veces que tienes que desabrochar y volver a abrochar porque te has equivocado y no cuadran. A medida que el bebé crece, los corchetes van desapareciendo porque se van poniendo otras cosas, pero, en casa, el desagrado que le tenemos a ese clic clic todavía no se nos ha quitado.

«El animalito hacia delante» era la consigna que recordábamos los primeros días cuando teníamos dudas acerca de cómo poner el pañal. No es que sea muy difícil, pero hasta el más ducho de los progenitores descubre en alguna ocasión que ha colocado el pañal al revés, incluso cuando el bebé ya tiene varios meses. Por suerte, los pañales desechables actuales se abrochan con unas tiras como de velcro que puedes ajustar una y otra vez hasta que queden como quieras. No puedo ni imaginarme cómo sería cuando los pañales eran de tela y se abrochaban con seguritos.

Eduardo a veces le ponía los zapatos cambiados o una camiseta al revés a alguno de los bebés, y no le importa reconocerlo porque dice que eso demuestra que hace cosas con los niños. Pero tiene la teoría de que las madres siempre se lo hacemos notar a los padres en voz alta y con otras mujeres delante para dejarlos en ridículo. Yo lo niego, pero no me cree.

La cebolla

Y siguiendo con el tema de vestir a los bebés, creo que nos ahorraríamos muchas complicaciones y muchos corchetes si no tuviéramos la manía de convertirlos en pequeñas cebollas. Nos han dicho que lo mejor es que lleven varias capas de ropa, para poder ir adaptándolos a las diferentes temperaturas. También que al principio no les funciona el *termostato* corporal igual que a los adultos, por lo que se recomienda que lleven una prenda más que nosotros. Pero de ahí a ponerles pañal, *body*, camiseta, suéter, leotardos y pantalón, todo para estar en casa, con la calefacción puesta a 22 °C, mientras los padres van en manga corta, quizá sea exagerado. Pues no es raro, como tampoco lo es ver a recién nacidos con un suetercito de punto y tapados con una sábana en la calle y a 30 °C.

Lo malo es que solemos vestirlos como cebollas por si acaso y luego se nos olvida la parte de ir quitando capas si vemos que hace calor. Y la tendencia sigue, normalmente, hasta que el niño deja de ser bebé y aprende a quitarse las capas solo.

Los propios pediatras advierten de que es peligroso sobreabrigar a los niños. Los bebés lactantes se pueden deshidratar o tener fiebre, y, si son más grandes, el sudor puede provocar que se enfríen más. Pero aquí lo difícil es convencer a los padres de que cuando se resfrían no es por frío, sino por un virus.

6
LACTANCIA MATERNA

«¿Que no le llena? Pero ¡si está como una bola!»

S<small>ALOMÉ</small>, madre de Ícel, de cuatro años

La lactancia materna, vamos, dar el pecho o la teta, es uno de los temas que, sin saber muy bien por qué, se ha vuelto controvertido en los últimos años, cuando durante millones de años ha sido la forma natural de criar a los bebés. No voy a desarrollar aquí un tratado para defenderla. Sus bondades son bien conocidas y hay muchísima información científica al respecto, tanto en libros de pediatras como el de Carlos González, *Un regalo para toda la vida*, o el de José María Paricio, *Tú eres la mejor madre del mundo*, como en multitud de páginas web, incluidas las de Unicef (<www.unicef.es>) o el Comité de Lactancia Materna de la Asociación Española de Pediatría (<www.aeped.es/comite-lactancia-materna>).

Pero, al igual que en el caso del parto, sí que es importante, si tienes intención de dar el pecho, que te informes previamente para atajar posibles problemas lo antes posible, ya que, por decirlo de forma resumida, con la civilización hemos perdido la práctica y muchas mujeres tenemos que aprender a ser mamíferas de nuevo. También es importante advertir que aún hay muchos profesionales de la salud sin formación actualizada sobre lactancia materna (reconocido por ellos mismos); por eso lo mejor es saberse la teoría de antemano, para poder reaccionar y buscar ayuda especializada si es necesario (hay grupos de apoyo en casi todas las ciudades).

En este capítulo voy a hablar de cuestiones prácticas, curiosas, serias o divertidas que me han surgido mientras amamantaba a mis tres niños. No hablo sobre biberones porque pueden contarse con los dedos de una mano los que he dado en toda mi vida.

Cuidados del pecho

Durante el primer embarazo, yo, que soy de dudas absurdas, consulté con mi ginecóloga y mis amigas lo siguiente: «¿Hace falta preparar los pezones de alguna forma durante los meses previos para dar el pecho?». La gine me mandó un preparado de farmacia con glicerina y alcohol de 70° para que me lo aplicara con un algodón después de la ducha, en teoría para dar más resistencia y elasticidad a la zona. Alguien me recomendó también el aceite de almendras dulces para lo mismo.

Tres hijos y años de dar teta después, te presento mi conclusión: no sirve de nada prepararse antes. Con David, en teoría, tenía los pezones como dos superhéroes, en términos de resistencia y elasticidad. Y desde el primer día me salieron unas grietas. Con Natalia, que pasé más del tema, tuve muchas menos, y con Elisa, que no me di nada, ni una. Que no salgan grietas depende de que el bebé se enganche correctamente, y ya puedes tener el pezón acorazado, que, si no mama bien, te saldrán. Y al contrario, aunque no te cuides en absoluto, si el bebé se agarra en la postura correcta, no te saldrá nada.

En las farmacias también venden cremas reafirmantes y antiestrías para el embarazo y el período de después, aunque no las he probado. Cuando tenía tiempo, lo que sí que hacía eran algunos ejercicios para fortalecer los músculos pectorales. Lo más sencillo es realizar series levantando los dos brazos a la altura del pecho, con las manos juntas, y apretarlas. Si te pones delante del espejo, verás cómo se contraen y relajan los músculos que van desde la axila hasta el pecho.

Otra cosa que te recomiendan desde casi el principio del embarazo es usar sostenes especiales, de algodón y sin aros, y, una vez que has dado a luz, sostenes de lactancia (con un ganchito arriba para abrir la copa y sacarte la teta), normalmente de una talla más por si se hincha el pecho cuando sube la leche. Ya lo he comentado cuando hemos hablado de la ropa premamá, pero es que son tan feos que merecen una segunda mención: ¿por qué los hacen así? Aunque sean de algodón, sin aros y acorazados, ¿no se puede hacer algo más mono, con más gracia, con algún encaje o dibujito? ¿Se nota que me causan cierto rechazo?

¿Me desinfecto los pezones?

En algunas revistas de bebés todavía te recomiendan que antes y después de darle el pecho te laves los pezones. Pero no con cualquier cosa, qué va. Para que sea más fácil, te aconsejan usar agua hervida templada.

Si antes y después de cada toma tuvieras que ir a buscar agua, hervirla, esperar a que se templara y lavarte, la lactancia materna perdería una de sus mayores ventajas prácticas: librarte de fregar biberones y tetinas, y de tener que estar pendiente de la temperatura del agua o del tiempo durante el que se preparó la leche. ¿También tras darle el pecho al bebé en la noche tienens que levantarte a lavarte con agua hervida templada? ¿Y por qué no con agua milagrosa de la Virgen de Lourdes?

Ningún experto serio en lactancia materna aconseja cosas así. De hecho, coinciden en que no hace falta desinfectar ni esterilizar los pezones, ni siquiera lavárselos antes y después de dar de comer, pues puede secar la piel. Basta con la ducha normal diaria y con no arrastrarte desnuda por el suelo.

Si duele, malo: busca ayuda

Al poco de nacer David, cuando lo pusieron sobre mi pecho y nos dejaron tranquilos, me lo acerqué a un pezón. Cuando al fin se enganchó, no lo debió de hacer correctamente, y al poco tiempo se me formó la primera grieta. Por mucho que me sabía la teoría, que dar de mamar no duele, que si duele hay que cambiar de postura, no supe hacerlo. Tampoco es que me ayudaran mucho en el hospital. A excepción de una enfermera que me lo colocó correctamente en una de las ocasiones (lo notas de inmediato porque pasas de ver las estrellas a no notar dolor), las otras más bien me regañaban, o al menos así lo sentía yo. Por eso también está bien acudir, si es posible, a un hospital acreditado por la Iniciativa para la Humanización de la Asistencia al Nacimiento y la Lactancia (IHAN), que ya he mencionado al hablar sobre el parto respetado, porque el personal está formado en lactancia materna.

En la posición correcta, el bebé tiene la boca muy abierta, de forma que no solo cubre el pezón sino que también abarca parte de la areola, los labios evertidos (hacia fuera), la lengua debajo del pezón, y la nariz y la barbilla tocando el pecho. Pero David, al principio, tenía la boca muy chiquita y la abría muy poquito. Así que, cada vez que mamaba, yo apretaba los puños de dolor.

Entonces fue cuando descubrí dos productos: uno malo y otro salvador. Lo primero que me recomendaron en el hospital fue ponerme pezoneras, una especie de funda de silicona transparente que te colocas sobre los pezones, con unos agujeritos en la punta para que le llegue la leche al bebé. A mí la verdad es que no me ayudaron, me seguía doliendo mientras David se agarraba mal, me molestaba y tenía la sensación de que al bebé le costaba más todavía mamar porque tenía que abrir aún más la boca.

El producto salvador fue el Purelan, una crema de lanolina pura, superpegajosa, que te aplicas en los pezones antes y después de dar de comer. Es muy cómodo porque no te la tienes que limpiar, ya que es inocua para el bebé, y alivia y protege algo durante el amamantamiento mientras las grietas van cicatrizando. Durante las primeras semanas con David, iba a todas partes con mi tubo de Purelan. Se vende en farmacias y no importa si te sobra, porque viene muy bien también para irritaciones como la que aparece debajo de la nariz cuando estamos resfriados y nos sonamos mucho, o como crema labial.

Otro truco para ayudar a que las grietas cicatricen, y que también se recomienda para hidratar y proteger el pezón aunque no haya ningún problema, es sacarse un par de gotas de leche al final de la toma, extenderlas por el pezón y dejar que se sequen.

Con David, estuve un mes con los pezones doloridos; cada día me iba mejor, hasta que al final se me curaron todas las grietas y dejé de sentir dolor. Seguí dándole de mamar porque estaba empecinada en ello, pero tuve días en los que apretaba los dientes y me agarraba a los reposabrazos del sillón incluso antes de darle el pecho, cuando me lo iba a colocar, en anticipación al dolor que sabía que iba a sentir. Esos días pensé en abandonar. Con la mente obnubilada entre el agobio y el agotamiento, ni se me ocurrió buscar la ayuda de una asesora en lactancia o de un grupo.* Si lo hubiera hecho, probablemente me hubiera ahorrado semanas de dolor. Con Natalia, pese a haber pasado ya por esta experiencia, me salieron grietas durante una semana, aunque fueron bastantes menos, y con Elisa, directamente no tuve ninguna.

Aparte de las grietas, tuve otra complicación, también bastante habitual: la congestión o ingurgitación. En palabras sencillas, es cuando uno de los pechos no se ha vaciado bien, se hincha y se pone duro. En mi caso, no fue a más y se me pasó en un par de días, dándome masajes, poco a poco en cada toma, desde la axila hasta el pezón, como si quisieras ayudar a conducir la leche hasta la salida, o como cuando vas apretando el tubo de pasta de dientes desde abajo y de a poco para aprovechar lo que queda. Aparte de los masajes, también se recomienda aplicar frío o tomar antiinflamatorios, pero si tienes dudas o no se te pasa, consulta.

¿Cada cuánto es *a demanda*?

Durante una de las clases de preparación al parto a las que asistí, un pediatra un tanto anticuado nos dijo: «El pecho se da a demanda. Es decir, diez minutos cada pecho cada tres horas». Va-

---

* <www.fedalma.org/>.

mos, nos aconsejó, a un montón de madres despistadas, que hiciéramos una cosa y justo la opuesta.

Entonces, ¿qué quiere decir exactamente *a demanda*? Pues cuando lo pida el bebé. No diez minutos, sino el tiempo que tarde, que pueden ser cinco minutos, veinte o media hora. Ni cada tres horas, sino cuando lo pida: si es antes, pues antes, y si es después, pues después. Ni de cada pecho: muchas veces, eso ya lo verás en la práctica, el bebé toma sólo de uno y ya no quiere más o se duerme. Pero ¿siempre tiene que ser a demanda? Pues sí.

La razón, explicada de forma sencilla, es que el pecho adapta la producción de leche a lo que pida el bebé. Digamos que es el cliente de nuestra fábrica de leche materna y es el único que sabe si tiene hambre o si necesita comer más de lo normal porque está en un pico de crecimiento. Así que, para que funcione bien la lactancia materna desde el principio y dure, si el bebé pide más, hay que darle más, aunque sólo haga una hora que ha mamado, para indicarle al pecho que produzca más leche.

El concepto, así explicado, suena agobiante, porque ¿cada cuánto puede pedir un bebé? Los primeros meses (se recomienda que hasta los seis meses los bebés solo tomen leche materna) es muy variable. Tan pronto te pide a la media hora de haber comido como, de repente, se duerme y aguanta cinco horas sin comer.

En la práctica, para qué te voy a engañar, también resulta agobiante a veces. Le di teta a David hasta los nueve meses, a Natalia hasta los cuatro años, y a Elisa, con más de dos, todavía le doy. Y es normal que durante las primeras semanas tengas la sensación de que te has pasado el día entero sin hacer otra cosa que estar con la teta fuera: entre la toma, el rato que se queda dormido en el pecho, y que se vuelve a despertar y a pedir, encadenas horas sentada con el bebé colgado.

¿Que si es una esclavitud? Pues depende. A mí me compensaba con creces, ya no por todos los beneficios que la leche materna tiene para la salud del bebé y para la mía, que eso ni lo piensas en el momento de darle de mamar, sino simplemente porque me gustaba darles el pecho. Me gustaba sentir cómo crecían con mi leche, mirarlos cuando se dormían y, de mayores, que juguetearan, me miraran y sonrieran. Por otra parte, tiene ventajas prácticas, como salir con el bebé a la calle sabiendo que, si le da hambre, llevas puesto lo necesario para darle de comer, sin tener que cargar con biberón, leche en polvo, buscar un sitio con microondas para prepararlo...

Es cierto que es mucho más fácil cuando tienes ayuda. Por ejemplo, si tu pareja se encarga del resto de tareas, tú puedes dedicarte tranquilamente a la lactancia. Y que se complica cuando tienes más hijos que también requieren tu atención. Sólo la madre puede saber si dar el pecho le apetece y le compensa, o no.

También hay que mirarlo con perspectiva: son unos pocos meses que se pasan volando, porque conforme crecen van espaciando las tomas y cuando ya empiezan a comer otras cosas, a veces se reduce la teta a una o dos veces al día. Yo aprovechaba las tomas muy largas de las primeras semanas para leer, ver series en la tele o incluso echarme una siesta. Tenía la excusa perfecta para no hacer otras cosas y quedarme tranquilamente sentada: «¡Estoy dando de comer al bebé!». Porque si te crees que los primeros meses el bebé es muy demandante, ¡espérate a que se mueva y no duerma tanto!

¿Y qué hace el padre?

Te cuento todo lo que hacía Eduardo mientras yo amamantaba: me animaba al principio, cuando veía las estrellas del dolor con David, me cogía de la mano, me traía lo que necesitara, hacía las compras, cocinaba, ordenaba la casa, bañaba a los bebés, los vestía, les cambiaba el pañal, jugaba con ellos, los sacaba a pasear, los cargaba, les daba besos... Y cuando nacieron Natalia y Elisa, se encargaba de los mayores para que me pudiera centrar en la recién nacida.

Por eso me hace gracia el argumento de que es preferible dar el biberón porque es más igualitario y así el padre se puede implicar igual y crear vínculos con el bebé. Lo único que no hacía Eduardo durante los primeros seis meses era darles de comer. Todo lo demás, lo hacía igual o más que yo. Porque si eres un padre de los que se implican, lo vas a hacer de todos modos, coma lo que coma el bebé. Y si eres un padre de los que se deslindan, te seguirás deslindando, aunque des un biberón de vez en cuando.

Empiezan a comer otras cosas a los cinco o seis meses. Mira si tienes años por delante para darles biberones, purés, chuletones..., ¡hasta para llevártelos por tragos!

Leche a chorros

Probablemente te hayan contado antes de dar a luz que al principio produces calostro. Es una leche especial, muy concentrada, amarilla, con las grasas, las proteínas y los anticuerpos que necesita el recién nacido. Aunque te parezca que sale muy poca cantidad, como me explicó una enfermera experta en lactancia, el tamaño del estómago del bebé al nacer es como una moneda; imagínate, pues, lo que cabe dentro...

Entre los dos y los cinco primeros días, sube la leche definitiva. Hay mujeres que notan mucho esta subida, y puede llegar a ser molesta, mientras otras ni se dan cuenta. Yo lo notaba sobre todo las primeras semanas si el bebé llevaba unas tres horas o más sin mamar: sientes cómo se te endurece el pecho, de forma que bastaba con rozarlo o con oír al bebé llorar para que se abriera el grifo y empezara a gotear, incluso a salir a chorros. Si te sorprende una subida de estas sin un bebé que te vacíe el pecho, puede llegar a mojarte la ropa.

Así que los primeros meses, además de usar los sostenes de lactancia, tienes que ir pertrechada con discos absorbentes. Los más normales son los desechables, que se venden en la farmacia. Pero también los hay que se pueden lavar, aunque estos son más recomendables cuando ya manchas menos, porque no absorben tanto y se empapan enseguida. Ojo, normalmente, cuando el bebé mama de un pecho, te suele gotear el otro.

Cuando le vas agarrando práctica, la lactancia está bien asentada y tu pecho se ha adaptado a su función (hacia los dos o tres meses), las subidas de leche son menos fuertes, y llega un momento en el que ni notas que se te hincha el pecho y goteas muy poco. Muchas madres creen entonces, erróneamente, que ya no producen leche, cuando, en realidad, es al contrario, eres más eficiente.

¡Se me duerme!
Las primeras horas, incluso los primeros días, amamantando a un recién nacido pueden resultar desconcertantes. Intentas ponerle al pecho con frecuencia, cuando llora o cuando ves que está inquieto y crees que puede tener hambre, pero, probablemente, en muchas de las tomas, sobre todo en las primeras, se quedará dormido nada más al meterle el pezón en la boca.

Y, claro, sobre todo al principio, lo que más te preocupa es que mame lo suficiente y gane peso. Así que aunque dé penita despertarle, hay que intentarlo: cosquillitas en los pies, en la cara, en la espalda, entre las costillas... Entonces, da un par de chupadas y se vuelve a dormir. Otra vez cosquillitas. Otro par de chupadas, y frito... ¿Habrá comido lo suficiente? Más cosquillitas, eso cuando no recurres a la artillería pesada y cambias el pañal o intentas molestarlo de otras formas: soplándole en la cara, cambiándolo de postura...

Conforme pasan los días, notas que está más despierto y que empieza a ingerir con energía, pero en cuanto te descuidas, ¡se ha vuelto a quedar frito! Y es que la teta tiene propiedades somníferas y anestesiantes. Lo mismo te lo duerme que lo consuela cuando está triste, enfadado o cuando se cae.

¿Por qué teta iba?
Cualquiera que me hubiera observado cuando alguno de mis bebés pedía teta las primeras semanas, me habría visto tocarme automáticamente un pecho y luego el otro. No era ningún ritual

para tener mejor leche ni nada por el estilo, sino una de las formas de decidir cuál sacarme primero... Si había uno más hinchado, pues ese le daba.

No sé cómo lo hacían las mujeres prehistóricas, pero a mí me surgían multitud de preguntas absurdas del tipo: «¿Por qué teta iba?» o la letanía: «¿Habrá acabado ya?», «¿Le cambio al otro pecho?», «¿Espero un poco más para que acabe?». «¡Joder, se ha dormido!»

La idea es que el bebé mama y, cuando está saciado, se suelta. Entonces, pruebas a ponerle en el otro pecho, y puede que no quiera más, o que tome un poquito y lo deje, o que también se lo acabe. Pero las primeras semanas no siempre está tan claro. Muchas veces, como acabo de contar, se duerme en el pecho mientras sigue succionando ligerísimamente, así que no sabes si está comiendo o no.

Lo de que se acabe un pecho antes de cambiarle al otro tiene su importancia, pues la composición de la leche va cambiando durante la toma para adaptarse al bebé. Al principio es más aguada, con más azúcar. Si te sacas una gota, verás que es más bien transparente, pero ¡que no cunda el pánico! Es la mezcla que necesita el bebé.

Según avanza la toma, se vuelve más grasa y blanca. Vamos, parece lo que todo el mundo entiende por *leche*. Si lo cambias de pecho antes de que acabe (por ejemplo, siguiendo consejos del tipo «Diez minutos en cada pecho», ojo, que los recién nacidos pueden tardar mucho más), no se tomará justo la leche que más engorda. De modo que tienes que intentar esperar a que se acabe el pecho, pero sin que se duerma.

Para la siguiente toma, intentaba empezar por el pecho que se hubiera dejado a medias, pero muchas veces no me acordaba de cuál era. De ahí el toqueteo. Otro truco es usar solo un disco absorbente, que te pones en el pecho más cargado, y así sabes que le tienes que dar ése (ojo, sólo cuando ya no gotees a la mínima de cambio).

Que sí, que tengo leche y alimenta...

Elisa tiene casi dos años y tres meses. Sigue tomando teta, aunque ya de forma testimonial, normalmente cuando vuelvo de trabajar y antes de dormir, y más bien por mimo que por comer. Pues, en todo este tiempo, creo que no ha habido semana en la que su cuidadora, la señora Chu, no me haya dicho: «Pero ¿todavía tienes leche? ¡Qué bien, qué suerte!». Pese a que siempre le contesto: «Mientras la niña mame, tendré leche», a los pocos días me lo vuelve a preguntar.

Puede que no con tanta frecuencia, pero esa misma pregunta te la hacen, si das el pecho, abuelas, vecinas, amigas e incluso desconocidas. También son muy comunes los comentarios del tipo: «Ya es muy mayor, tu leche ya no le alimenta». Da igual lo grande que esté el bebé, que haya crecido durante meses tomando sólo de tu leche, o que no haya ninguna razón para que lo que le alimentaba durante meses se haya vuelto, de repente, aguada. Así pues, lo mejor es ponerse el chubasquero para que te resbalen todos los comentarios y no acabar con los nervios.

Lo malo es cuando te lo dicen durante los primeros días, o primeros meses, justo cuando estás llena de dudas y obsesionada con el peso del bebé. Porque te pueden hacer pensar de verdad que no tienes leche en un momento en el que lo que mejor te viene es tener confianza. Si le das el pecho a demanda y el bebé succiona correctamente, tu producción se adapta a lo que necesita el niño, así que cuanto más tome, más leche tendrá, y al revés. Sólo en algunos casos muy raros, la mujer no tiene realmente la capacidad de producir la leche que necesita el bebé.

Del escotazo a los colgajos

Digamos que durante el embarazo y la lactancia, si eres de las mías, pecho normal tirando a pequeño, las posibles incomodidades y la fealdad de la ropa interior se compensan, exteriormente, con unos escotazos como nunca has tenido, casi como si llevaras un Wonderbra, pero al natural. Da gusto (y a los padres seguro que también) llevar camisetas o vestidos con algo de escote, mirar para abajo y verte hasta canalillo.

Lo malo es que en este caso sí que es cierto el aforismo de que todo lo que sube baja, y meses después de dar a luz, cuando ya está bien asentada la lactancia, cuando ya no notas que se te hinchan los pechos cada vez que das de mamar, te miras un día en el espejo y dices: «Pero ¿esto qué es?». En lugar de los fantásticos pechos de los últimos meses, te da la impresión de que tienes un par de colgajos tirando a flácidos y vacíos. Todavía no he conseguido averiguar si es que en realidad sólo vuelven a su estado anterior y a ti se te había olvidado que eran así, después de meses de turgencia, o es que el embarazo y la lactancia los perjudican realmente. Así que de vuelta a la publicidad engañosa de llevar sostenes con relleno.

Para las parejas, pueden ser unos meses un tanto frustrantes desde el punto de vista sexual: cuando la mujer tiene el superescote, probablemente se encuentre en fase de mírame y no me toques, entre la hinchazón, la hipersensibilidad y la leche goteante. Y cuando al fin se pueden tocar... se han venido abajo...

Usando la ordeñadora

El sacaleches..., ese invento. Ese embudo infernal que te colocas sobre un pecho, mientras activas un mecanismo para que vaya haciendo el vacío, es decir, te vaya tirando del pezón a un ritmo cadencioso para ordeñarte.

Tengo sentimientos encontrados respecto a este artefacto. El que yo usé es eléctrico pero con la opción de usarlo manualmente. El modo manual conlleva tener que ir apretando tú la palanca, que es como la del pulverizador (vulgarmente llamado *flu-flu*) del limpiacristales, al ritmo que te convenga. El eléctrico memoriza el ritmo que estableces y sigue solo, con lo cual te ahorras tener que apretar.

Por un lado, con las incapacidades de maternidad tan mezquinas que tenemos, para muchas madres es la única forma de llegar a los seis meses de lactancia materna exclusiva que se recomiendan. También es útil para descongestionar el pecho, como hacía yo con Elisa los primeros meses, en los que milagrosamente dormía hasta siete horas seguidas, con lo cual me levantaba con los pechos como piedras (luego se desquitó y se despertaba hasta cinco veces por noche...).

Pero, por decirlo finamente, es una auténtica molestia. Montar el cacharro, sentarte y sujetarlo mientras actúa, ver los tirones del pezón mientras suena el ruidito del motorcillo, agobiarte porque tienes que llenar determinada cantidad para que sea suficiente y no sale, desmontarlo, lavar las distintas partes... Todo eso para sacar mucha menos leche de la que succionaría el bebé en la mitad de tiempo. Y es que, cuando estás cargada de varias horas sin dar de mamar, la leche sale bastante rápido, pero, si no, a mí por lo menos me costaba bastante conseguir una cantidad digna, incluso tenía que ir pasando de un pecho a otro varias veces.

Expertos en lactancia aseguran que, una vez aprendida la técnica, es mucho más efectivo y rápido sacarse la leche manualmente, sin aparato. Yo no lo he probado nunca, pero en Internet hay mucha información, incluso vídeos demostrativos.

La vuelta al trabajo

Como muchos periodistas, a veces tengo que hacer turnos de noche. Y lo confieso: llegar a la redacción a las siete y media de la tarde, sentarme y encender el ordenador es mi momento más relajado del día. No sean malpensados, no quiere decir que me dedique a mirar Facebook, sino que, en comparación con las agotadoras horas previas, llevando, trayendo y trajinando con los niños, el trabajo se me hace liviano.

Estoy hablando de ahora, cuando son tres bichos que no paran, que juegan, se pelean, te requieren y a los que hay que vigilar muy de cerca para que no hagan trastadas. Pero esto no tiene nada que ver con el momento de incorporarse al trabajo después de la incapacidad maternal. Todavía se me encoge un poquito el corazón cuando recuerdo cómo los tuve que dejar durante ocho largas horas al día con otras personas a los seis meses, a los cinco y medio, y a los seis y medio, respectivamente.

Y eso que me permití el inmenso lujo, para vivir en España, de criar, cuidar, sufrir y mimar a mis bebés durante todo el tiempo reglamentario (incapacidad por maternidad, acumulación de horas de lactancia, vacaciones y días de permiso). Con Elisa, incluso, añadí veinte días de excedencia. Pero, aun con riesgo de que me lean mis jefes, la verdad es que no me apetecía volver al trabajo en absoluto. Lo hice porque el plan de Eduardo de regalarme una excedencia de un par de años con el premio del Euromillones no funcionó ninguna de las tres veces... Ojalá hubiera sido tan fácil como cree Natalia, que hace poco me preguntó: «¿Por qué no te borras del trabajo?», como si fuera una extraescolar...

Sigo preguntándome por qué se considera que un bebé que casi no se da la vuelta, que no se mantiene sentado sin ayuda, que no habla y que apenas tiene dientes ya es lo suficientemente maduro como para pasar tanto tiempo sin su madre.

Este nudo en el estómago, esta indignación, la sienten muchas otras madres, hayan dado el pecho o el biberón. Pero las que deciden dar el pecho sienten una presión adicional, pues muchas creen que deben destetar a sus hijos para poder trabajar. Y es que las cuentas difícilmente salen para poder llegar a esos seis meses de lactancia materna exclusiva, a no ser que vivas pegada a un sacaleches y haciendo malabarismos con los horarios.

Sin embargo, no hace falta dejar la lactancia completamente, como piensan muchas. Si disfrutas dando el pecho y te apetece seguir, pero no tienes tiempo ni un lugar, o directamente no quieres estar sacándote leche cada dos por tres, puedes optar por la lactancia mixta, es decir, dar teta cuando estés con el bebé y leche de fórmula cuando no lo estés. Y si ya casi tiene los seis meses, puedes sustituir darle el pecho cuando no estés por papillas o incluso por comida-comida.

¡Socorro, no quiere biberón!

Si das el pecho y tienes que incorporarte al trabajo, probablemente lleves unas semanas agobiándote por lo que comerá y haciendo prácticas de *biberoning*. Si lo toma con facilidad, perfecto, una preocupación menos (lo recomendable es que se lo dé otra persona y que la madre no esté cerca). Pero muchos bebés alimentados con pecho en exclusiva rechazan los biberones, lleven leche materna o de bote. La primera vez, igual chupetean un poco la tetina o la mordisquean con curiosidad, incluso beben una pizca. Pero después, sabiendo de qué va la cosa, se niegan en rotundo: cierran la boca, empujan con la lengua hacia fuera, ponen hasta cara de asco, y, si insistes, lloran y lloran.

De mis tres hijos, sólo el primero, David, tomó biberones. Al principio, con mi leche y a partir de los seis meses con leche de fórmula con cereales, hasta que se pasó al Cola Cao cerca del año. Pero Natalia y Elisa eran unas tetaadictas, y fueron irreductibles.

Con Natalia compré varios tipos de tetina y biberones, que si de látex, que si de silicona, que si con tres estrías para que la succión se pareciera a la del pecho, que si con forma anatómica... No te hagas ilusiones (ni malgastes el dinero); si no quiere biberón, no le vas a engañar con un pezón de plástico. Hay quien recomienda no darle el pecho y dejar, incluso durante horas, que pase hambre hasta que vea que no tiene más remedio que coger el bibe, pero a mí eso me parece una crueldad.

Leí a un pediatra que decía que muchos bebés de pecho son capaces de aguantar sin comer todas las horas que la madre está fuera y que se desquitan cuando esta vuelve. En principio parece tranquilizador, pero no nos engañemos: ni tú ni quien se va a quedar con el niño van a estar tranquilos. Así que hay que buscar otras soluciones.

Si es muy pequeño y aún ha de tomar sólo leche, los expertos recomiendan usar un vasito e ir dándole sorbitos o con una jeringuilla. Si ya tiene cinco o seis meses, puedes probar a introducir lo que se llama *alimentación complementaria*: papillas, purés o, directamente, comida machacada o en trocitos.

En nuestro caso, Eduardo todavía me recuerda de vez en cuando, con cierto enfado, lo difícil que la pasó cuando me incorporé al trabajo con Natalia, que tenía cinco meses y medio. Yo trabajaba de noche, así que él tenía que darle de cenar (temíamos que no iba a dormirse muerta de hambre). Ni siquiera se mantenía sentada en la periquera; había que ponerla en la carriola, reclinada, para darle una papilla de leche con cereales que escupía la mitad de las veces. Eso cuando conseguía que la cucharita llegara hasta la boca sin derramarse por el camino, porque era imposible espesarla.

Aquello fue un máster acelerado en malabarismo, porque, al tiempo que le acercaba la cucharita chorreante, tenía que agitarle algún juguete con la otra mano, tocarle el pianito de los animalitos o hacerle el cucú-tras con un trapo para entretenerla y que no llorara a grito pelado.

Con Elisa fue algo más fácil porque ya tenía seis meses y medio, se mantenía más erguida, y, como ya nos lo sabíamos, después de probar un par de veces con el biberón y ver que no lo quería, ni insistimos. Así que, cuando empecé a trabajar, la señora Chu le empezó a dar directamente purés, arroz y comida machacada.

Cuando estás en este punto, agobia mucho, pero, si te sirve de consuelo, recuerda que son sólo unos pocos meses.

¡Ay, tiene dientes!

A partir de los siete u ocho meses, el momento de dar el pecho puede convertirse en algo parecido a *Tiburón*. Bueno, más bien a *Piraña*, porque, por suerte, los seres atacantes son todavía pequeñitos y no se suele perder ningún miembro por el camino. Estás plácidamente en el sofá, teta fuera, bebé en el regazo, mirándole sonriente y disfrutando de esos incomparables momentos de complicidad y bla, bla, bla… Cuando, de repente: «¡AY! ¡Me ha mordido!».

Tu simpático, curioso y juguetón bebé lactante empieza a tener dientes y, lo que es aún peor, los usa. No te engañes, es perfectamente capaz de mamar sin morderte. Elisa tiene tooooooda la boca llena de dientes y, si no quiere, ni me roza con ellos. Es, por poner un ejemplo más cercano a los adultos, como, ejem, practicar sexo oral. Vamos, que si se muerde es adrede.

Después del primer bocado, das un grito, le miras con cara de enfado y le dices: «¡NO!», con voz firme y seria. Probablemente, eso le haga más gracia todavía y, al rato, te pegue otro bocado, a ver qué pasa. A partir ahora, cada vez que le tienes que dar teta, ya no lo ves como un incomparable momento de complicidad, sino que te sientes como un bañista que no tiene más remedio que meterse en un río infestado de pirañas.

En la práctica, yo utilicé un truco que leí en algún foro de lactancia: anticipar el momento del mordisco, que normalmente es al final, cuando acaban la toma. Por alguna razón, en lugar de soltar el pecho de golpe, como antes, les hace gracia morder el pezón y estirarlo como un chicle. Cuando veas que está cerca de acabar y que te va a pegar el mordisco, apriétale contra ti firmemente un momento. Su reflejo será abrir la boca y soltarte, y entonces ya le puedes separar. Después de hacer esto varias veces, puede que deje de morderte.

Lactancia prolongada, ¿raro raruno?

Sí, antes de tener hijos también me chocaba oír hablar de niños que mamaban a los dos años, a los cuatro o incluso más. Me parecía bastante exótico, exagerado, quizá un poco grimoso o antinatural. Pero, como reza el dicho, nunca digas «De esta agua no beberé»...

Cuando nació David, no me planteé ningún objetivo temporal, más allá de los seis meses de lactancia materna exclusiva. La teoría dice que si es posible, a partir de esa edad, el pecho debe combinarse con otros alimentos hasta los dos años «o hasta que la madre y el bebé quieran». Hay tan pocas madres en el mundo occidental que aguantan hasta esa edad que a partir de los doce meses ya se considera que la lactancia es prolongada.

David se destetó solo hacia los nueve meses, con gran pena por mi parte, porque con lo que me costó que se enganchara al principio, me hubiera gustado seguir algo más. Un día, directamente, le ofrecí pecho y no quiso y no lo volvió a pedir. Ya hacía semanas que mamaba poco, que comía bien los purés y que se tomaba sus biberones con cereales cuando yo no estaba.

Natalia, sin embargo, demostró desde bien pequeñita su carácter persistente. Primero, con los biberones que se negó a tomar. Y, después, siguió pidiéndome teta contra viento y marea durante la gestación de Elisa (de quien me quedé embarazada cuando Natalia tenía dieciocho meses), mientras que hay muchos niños que se destetan solos en esas circunstancias porque, debido a los cambios hormonales, la leche cambia de sabor y sale en menor cantidad. Ella sobrellevó mis prisas, mis nervios y mi falta de ganas algunos días, algo que después descubrí que también es normal y que tiene hasta nombre: *agitación del amamantamiento*.

Aguantó también cuando nació Elisa y tuvo que dejar su lugar prioritario en la teta al bebé. Mientras, ella, con dos años y tres meses, iba pegando algunas chupadas, a veces al tiempo que su hermana (se conoce como *lactancia en tándem*) y otras cuando Elisa ya había acabado. Gradualmente, fue reduciendo la frecuencia hasta que, cerca de cumplir los cuatro años, un día pidió pecho, dijo que ya no salía leche y ya no volvió a querer más. Antes de nacer, nunca me hubiera imaginado que Natalia mamaría durante tanto tiempo.

Ahora, Elisa tiene la edad que tenía Natalia cuando ésta le cedió su puesto en mis pechos. Y sigue enganchada. Si estoy en casa por las mañanas cuando se despierta, se mete en la cama conmigo y le da a la *nai* (teta en chino). Tampoco lo perdona cuando llego a casa del trabajo, ni antes de dormir. Y sigue siendo su recurso favorito cuando se hace daño o está muy disgustada.

Pero si estamos fuera de casa, o está entretenida con algo, ni se acuerda. A veces no me apetece mucho darle el pecho, pero normalmente es un momento bonito y de los pocos que me quedan de bebé. Así que seguiré disfrutándolo, hasta que mi pequeña ya no quiera.

Sintonizando el pezón

Unos meses después de la fase de la piraña, viene otra etapa un tanto molesta de la lactancia. De repente, mientras tu simpático y curioso bebé todoterreno mama, se aferra a tocarte el otro pezón; eso cuando no se dedica directamente a darle vueltas como si fuera la rueda de las radios antiguas.

Me ha pasado tanto con Natalia como con Elisa. No es algo que hicieran cuando tenían sólo unos meses, sino más bien cuando superaron el año y pico, y, aunque intentara quitarles la mano con suavidad o decirles que no lo hicieran, se ponían muy pesadas. Consultando en foros de lactancia, he comprobado que también es frecuente en lactancias prolongadas.

Cuando Natalia ya hablaba, alguna vez le pregunté que por qué lo hacía y me dijo que así salía más leche. No se me había ocurrido, pero tiene toda la lógica, porque estimular el pezón manualmente es una de las técnicas para aumentar la oxitocina, la hormona responsable del reflejo de eyección para que salga la leche.

Negociando con la teta

La ventaja de dar el pecho a niños más grandes es que ya entienden y puedes negociar con ellos. Puedes decirles que esperen un minuto si en ese momento estás ocupada en otra cosa, o distraerlos con otra actividad, porque sabes que, aunque no les des de mamar en ese preciso instante, no pasarán hambre.

Viene muy bien negociar si te da la agitación del amamantamiento, de la que he hablado antes: esa sensación de nervios, de querer terminar cuanto antes, de sentir como molesto algo que antes te encantaba, incluso de rechazo a dar el pecho.

Puedes acortar las tomas, por ejemplo, diciéndole que cuando termines de cantar una canción o cuando cuentes hasta un determinado número habrá que dejar la teta. También suelen aceptar lo de tomar el pecho sólo dentro de casa o sólo por la noche antes de dormir. Ahora, cuando es tarde, me funciona decirle a Elisa que sólo puede dar un par de chupaditas a las *nai* para darles las buenas noches, porque después se tienen que ir a dormir como ella.

Mamá, sabe a helado de fresa

Otra de las partes buenas de darles el pecho a niños mayores es que hablan. Más que bueno, es divertido y tierno, porque, a la vez que maman, te miran, se ríen, charlan. A veces creo que es simplemente una excusa para poder estar pegaditas a mí.

Natalia, por ejemplo, me decía: «Mamá, está muy bueno». «¿Y a qué sabe?», le preguntaba yo. «A helado de fresa», decía. Otras veces era a chocolate. Elisa se parte de risa cuando me ve saliendo de la ducha. Me señala el pecho y grita alborozada: «*Nai!*». Otras veces, me pregunta: «Mamá, ¿y qué están haciendo ahora las *nai*?». Depende de la situación, pueden estar durmiendo, comiendo, viendo la tele...

También es divertido ver cómo aprenden de lo que ven en casa. Cuando juegan con muñecos, Natalia y Elisa no les dan el biberón o el chupón, sino que se los intentan pegar al pecho como si fueran a amamantarlos. Mis niñas jugando a mamás...

7
COMIENDO COMIDA

«Tienes en tu plato la última porción de algo que te gusta, te sientas, y entonces ves unos ojillos clavados en tu plato... ¡Mierdaaa! Anda, toma...»

GLORIA, madre de Lucía, de seis años,
y de Esteban, de tres

¿Pasa algo si le doy pescado dos días antes de los ocho meses?

Los primeros seis meses, lo de dar de comer se te dará mejor o peor, sea con pecho o biberón, pero no ofrece muchas dudas en cuanto a la variedad: leche de teta o leche de bote. Aunque, bueno, conociéndome, seguro que si hubiera dado leche de fórmula también habría pasado horas buscando en Internet cuál es la mejor y mirando la composición en los botes de la farmacia. Eso con el hijo mayor. Con las siguientes, probablemente habría buscado la mejor oferta o, incluso, ¡gran osadía!, les habría comprado la barata del súper en vez de la de la farmacia.

Si con la marca de la leche ya tuviste dudas, prepárate para cuando el bebé llegue a los seis meses y empieces a ampliar la variedad de alimentos. Con David, el sufridor de todas mis obsesiones de madre primeriza, me llegué a recorrer tres supermercados distintos buscando una marca concreta de cereales sin aroma a vainilla, porque había leído en un libro que era mejor que se acostumbraran al sabor real de las cosas. Por supuesto, a Eduardo no le conté en ese momento por qué teníamos que ir a otro supermercado más. «No les quedan», decía simplemente. No me fuera a tomar por loca...

Todo empieza en la revisión de los seis meses, cuando el pediatra te da la «autorización» para que coma otras cosas, junto con una hojita que guardas como oro molido con el orden y el tiempo de introducción de cada alimento. A ti te da por tomártelo al pie de la letra, como si al niño le fueran a salir tres ojos si te saltaras alguna de las instrucciones. No sabes que el pediatra de la consulta de al lado tiene otra hojita donde en lugar de pescado a los siete meses dice que a los ocho. Ni que los bebés de Fujian (este de China) comen marisco an-tes del año o que las papillas en Noruega tienen carne de gamo y nabo.

Las hojitas de los pediatras son orientativas. De hecho, algunos pediatras opinan que la alimentación es un tema de crianza, de familia, en el que ellos no deberían entrar. Pero, claro, nos hemos acostumbrado a preguntárselo todo y podemos llegar a ser tan pesados que qué mejor que una hojita de recomendaciones... Lo importante es respetar lo de dejar varios días entre la introducción de cada alimento nuevo para detectar posibles alergias. Respecto a cuándo empezar con el gluten para evitar la celiaquía, no hay un criterio indiscutible, varía según los estudios, pero la tendencia más reciente es comenzar entre los cuatro y los siete meses, paulatinamente y mientras se sigue amamantando.

Así que relájense, recuerden que la alimentación es un tema cultural y relativo, que la gente de cada país, incluidos los bebés, comen lo que se suele comer en ese lugar y que están igual de sanos que los de aquí. Y no regañen a la pobre abuela (siempre son las abuelas) por darle al bebé la puntita de la cucharita de café, un trozo de pan para mordisquear o un poquito de las lentejas de los mayores. ¿No se los hacían a ustedes de pequeños? Y sobrevivien, ¿no?

Puré a saco
El menú clásico del bebé en España, siguiendo la famosa hojita del pediatra, es un puré insípido con pollo, ternera o pescado, papa, zanahoria y alguna otra verdura. Y para merendar, la papilla de frutas. Pero está bien saber que hay países en los que a los bebés no se les dan purés. En realidad, aquí cada vez hay más padres que practican el llamado *Baby Led Weaning* (BLW), o «alimentación dirigida por el bebé», que viene a decir: «Deja que

el niño coma lo que quiera, agarrándolo a trocitos con sus manitas». Vamos, lo que debieron de hacer durante millones de años hasta que se inventaron las batidoras, sólo que con un nombre más fino. Pueden encontrar más información sobre esta tendencia buscando en Internet.

Nosotros mezclamos. David, Natalia y Elisa comieron purés. Pero, por lo menos en casa (los de la guardería no los controlaba), eran papillas que no estaban demasiado pasadas, es decir, que las dejábamos con trocitos y grumos. También les dábamos plátano machacado con el tenedor, que les encantaba, pan, galletas, guisos como lentejas, arroz caldoso, sopa de fideos y, sobre todo a Elisa, trocitos de nuestra comida.

Hay dos grandes razones por las que los padres dan purés (aparte de porque lo dice el pediatra): porque tienen miedo de que el bebé se atragante y porque así come más. Lo primero es comprensible, es uno de los mayores temores que tenemos los padres. Pero los expertos en BLW aseguran que es difícil que algo así ocurra siempre y cuando se cumplan determinadas medidas de seguridad, como que el niño esté sentado erguido, que decida él mismo lo que se lleva a la boca, y que sean cosas que por su tamaño y consistencia pueda masticar y tragar (hay que evitar los frutos secos, las alimentos redondos como las aceitunas y las rodajas pequeñas como de zanahoria o salchicha). Y recuerdan que el bebé también se puede atragantar al sorber el puré.

De hecho, cuando empiece a comer sólidos, verás que muchas veces pone cara de asco y que hace arcadas. Esto es bueno, es su mecanismo de seguridad para echar lo que ve que no puede tragar.

La segunda razón por la que se suelen dar purés es bastante más dudosa. Y me recuerda al modo en que embuchan a los patos a la fuerza para que engorden y poder hacer patés con sus hígados. ¿Exagerado? Piensa en lo que lleva el plato de puré que le das a un bebé de ocho meses y que pesa entre siete y diez kilos: media pechuga de pollo, una zanahoria, media papa y medio puerro. Si tú pesas 60 kilos, es decir, unas seis veces más, es como si te comieras tres pechugas de pollo, seis zanahorias, tres papas y tres puerros de una sentada.

Es aún más desproporcionado si piensas en la papilla de frutas típica: media manzana, media pera, medio plátano, el zumo de una naranja y a veces algo de leche o una galleta. Es como si el adulto merendara tres manzanas, tres peras, tres plátanos y el zumo de seis naranjas. Y, encima, nos preocupamos cuando no se lo come todo y hacemos monerías como el avioncito o el «Éste por papá» hasta meterles la última cucharada.

En este aspecto, el BLW es mucho más respetuoso con las necesidades nutricionales del bebé. El ya mencionado pediatra Carlos González explica en su libro *Mi niño no me come* que los bebés, al igual que los cachorros de cualquier animal de cualquier especie, saben por instinto lo que su cuerpo necesita comer, tanto la cantidad como el tipo de alimento. Así que, si les ofrecemos una variedad sana, ellos mismos elegirán, según el momento, si quieren verdura, carne o pasta, y cuánta (no vale darles a elegir entre un muslo de pollo y chocolate o golosinas, obviamente). E insiste en que, en los países desarrollados, ningún niño sano se va a morir de hambre si no se acaba las raciones que los padres pretendemos que se coma, que normalmente son mayores de lo que necesita y le abocarían a la obesidad.

Ya sé que luego es difícil cambiar el chip y dejar que el nene se levante de la mesa habiendo comido solo un par de trozos de pollo, tres macarrones y un poco de plátano, pero tiene su lógica. Ahí lo dejo.

Cuando tu puré no les gusta

Venga, lo confieso, todo lo que acabo de explicar de las bondades del BLW no es más que un rollo para enmascarar la verdadera razón por la que las madres desnaturalizadas dejamos de hacer purés y les damos de comer lo de los adultos: porque es una molestia.

Todos los días o, si eres un poco dejada, un día sí y otro no, ponte a pelar las verduras, a cocerlas con el pollo o la carne. ¡Ah!, que se me olvidaba, que al principio lo hacía todo al vapor para que los alimentos no perdieran nutrientes. Y más tarde, en mi fase *nouvelle cuisine*, me dediqué a sofreír un poco de cebolla para que el puré no quedara tan soso. Luego tritura, echa el chorrito de aceite de oliva, tan sano, lo pruebas, pasa tu control de calidad, con el síndrome de Estocolmo hasta te parece que está bueno, sientas al bebé a la mesa con toda la ilusión... ¡Puaaaaaaaj!

No solo lo escupe, sino que después de tres tristes bocados cierra la boca, más bien la sella, y ahí no entra nada más, a no ser que recurras a trucos viles como la distracción, el chantaje o le abras la boca a la fuerza, que alguno lo hace.

¿Sabes lo feliz que era yo viendo cenar a Elisa ventresca de merluza o gazpacho antes de cumplir el año? ¿Y la de malos ratos que me he ahorrado? ¿Y la de purés que no me he comido yo?

Anatema, he comprado una papilla

Otra confesión: también les he dado papillas a mis hijos. Y no sólo en una urgencia o de viaje. He tenido varias papillas en casa, y algunos días era lo que comían. Porque, después de preparar el famoso puré que luego me escupían, resulta que la papilla, que tenía un color, una textura y un sabor, para mi gusto, mucho menos apetecibles que el casero, se lo comían sin rechistar.

Misterios del mundo de los bebés. Aunque también he de decir que había un par de ellos que no estaban malos y que incluso, si les sobraba, me lo comía yo. Eso sí, ninguno de los míos ha pasado del tamaño intermedio, el de 200 mililitros.

¿Y sabes qué? Siguen sanos pese a las papillas.

Si no comes, no salen los delfines

Hace tiempo, asistí a una escena bastante hilarante durante una visita al zoo. Mientras esperábamos a que empezara el espectáculo de los delfines, una madre, a mi lado, le insistía a su hija, que tendría unos dos o tres años, para que se terminara el puré que le estaba dando. En un momento, ya cansada de la resistencia de la niña, le dijo enfadada: «¡Como no te lo comas, no salen los delfines!». Lo divertido era que mientras lo decía, a la vista de la niña pero a espaldas de la madre, los delfines nadaban y saltaban... Creía que ese momento era insuperable en cuanto a pérdida de credibilidad materna hasta que meses después, en un hotel costero, oí a otra madre decirle a su hija: «¡Como no te comas el yogur, la playa se va a llenar de tiburones!».

En esto de la comida, reconozco que soy más de sobornos que de amenazas y que no soy muy pesada (algunos quizá me consideren incluso dejada). Hay veces que insisto para que mis niños coman un poquito más, pero, normalmente, si no quieren, los dejo. Con David funciona el soborno puro y duro, aunque sólo lo aplico en situaciones especiales (vacaciones o comidas fuera): «Si quieres un poquito de Fanta, cómete tres bocados más». Natalia es mucho más terca o, digamos, íntegra: si no quiere más, no hay nada que la haga cambiar de idea. Cuando era más pequeña y jugábamos a «¿Cómo abren la boca los hipopótamos?», a veces le colaba un par de cucharadas, pero cuando dice basta, da igual lo que hagas. Y Elisa va más en la línea de Natalia. Si tiene hambre, come incluso más que su hermana. Pero, como no quiera, da igual lo que le digas.

Muchos pediatras recomiendan no embarcarse en largas guerras a la hora de comer, porque sólo causan sufrimiento a ambas partes y convierten el momento en una tortura. Aconsejan ofrecer el primer plato, dejar que coma lo que quiera, aunque sea nada, o dos cucharadas, y no insistir. Pasado un tiempo (razonable, no horas), retirarlo y traer el segundo. Igual con el postre. Sin amenazas ni castigos, ni cambiándoles a otra cosa o guardando lo que no se coman para la siguiente comida. Si pasados unos días el niño no ha perdido peso quiere decir que toma los alimentos que necesita, aunque nosotros aseguremos que «no comen nada».

Pese a que estoy de acuerdo con la teoría, es cierto que la comida tiene un componente emocional y que es inevitable que los padres volquemos en ella nuestras preocupaciones sobre la salud. David, Natalia y Elisa están sanos y crecen bien, pero son delgaditos, ni de bebés fueron gorditos, y hay días que comen realmente poco. Por eso, aunque me digo: «Mejor para ellos, luego de mayores la mayoría intentamos adelgazar», a veces insisto, soborno o los ayudo con la cuchara.

Eduardo usa sin pudor el «¿Quieres ponerte grande y fuerte como papá (1.87 m) o quieres quedarte pequeñito como mamá (1.61 m)?», aunque la realidad es totalmente la contraria: como recuerda mi suegra con frecuencia, Eduardo de pequeño fue un pésimo comedor, mientras que yo me comía hasta las verduras. Somos la prueba viviente de que crecer tiene más que ver con la genética que con acabárselo todo.

¿Preocupados porque no come? ¡Al colegio!

De lunes a viernes, David y Natalia comen en el colegio, donde, como es bien sabido, los niños se lo acaban todo, haya lo que haya, y sin protestar (o puede que protesten, pero tú no estás ahí para verlo). Esos mil 500 pesos que pagamos al mes por niño (79 pesos por comida) son una de las mejores inversiones de nuestra vida. En realidad, que no me oigan en el colegio, creo que pagaría hasta el doble. Se preocupan de que los menús sean sanos y variados y por que coman cosas que en casa no se dignarían ni oler.

De hecho, si hubiera comedor escolar también por las noches y los fines de semana, los apuntaríamos. Bueno, es exagerado, pero a veces dan ganas.

Al principio, cuando los profesores de la guardería te dicen que se lo han comido todo, dudas de su palabra. Pero lo tienes que creer. Cuando empiezan el kinder, tampoco lo tienes muy claro. En nuestra escuela, las monitoras del comedor ponen a diario en una lista con el nombre de cada niño de Infantil qué tal han comido el primero, el segundo y el postre. Casi todos comen bien, algunos muy bien o repiten, y unos pocos regular.

Tú sigues mostrándote un poco escéptico, pero llega una edad en la que los muy infames te lo dicen así, a la cara:

—Mamá, no me gusta. ¡Tiene cosas verdes!
—Bueno, pruébalo, está muy bueno.
—No, ¡qué asco!
(Cara de asco correspondiente.)
—¿Y hoy qué has comido en el colegio?
—Coliflor. Y de segundo, pollo. Con lechuga, zanahoria y tomate.
—¿Y te lo has comido?
(Cara de incredulidad.)
—Sí.

Lo siguiente que digo, para mis adentros, es:

—¡Me #@%& en todo! ¿Será "#@$%&?

¿Cómo lo consiguen? Mi compañero Javier Salvatierra, que ha hecho un estudio exhaustivo con decenas de entrevistas a escuelas infantiles para su libro *Anécdotas de guardería*, cuenta: «A mí mismo me costaba creer que los míos se comen en la escuela lo que en casa no quieren ni oler. Pero ¡es que lo he visto! Y me lo han repetido mil veces todas las educadoras que he entrevistado. Por estas charlas, he deducido que la clave es doble: no les queda más remedio que comer (si no, no comen) y, además, imitan a sus compañeros. Ellos son así».

Claro, imagínate que las educadoras o las maestras, cada una con unos veinte niños a su cargo, se entretuvieran en hacerle el avión al remolón o se sentaran a su lado a contarle un cuento, o le pusieran la tele o le bailaran una sardana. Como sería inviable, son mucho más expeditivas. En nuestro colegio, cuando se acaba el tiempo normal, los que han terminado salen a jugar, lo que ya es un acicate para los lentos. A estos se les dan unos minutos más;

cuando ya han pasado, se les retira la bandeja. Y si se quedan con hambre, que hubieran comido a su hora.

También tienen sus trucos. De vez en cuando, vuelven con una corcholata o una estampa a casa como premio por haberse comido bien una verdura especialmente problemática. Lo que me tomó por sorpresa fue el día que David me pidió pan cuando le tocó comerse la sandía. «Es que la maestra me deja comerme la fruta que no me gusta con pan», me explicó. Así que le daba, con mucho sufrimiento, un bocado a la sandía, y se metía un trozo de pan para pasarla. «Total —pensé—, se le va a mezclar en el estómago igual...»

La regla de los cinco segundos

Llegas al colegio por la tarde, el niño saca la merienda, o al fin se puede comer esa golosina que le han regalado por un cumpleaños, le quita el papel y plof. Al suelo. Presientes crisis. Gran crisis. Lo recoges inmediatamente, lo sacudes un poco con la mano, soplas y dices: «No pasa nada, ha estado muy poco tiempo en el suelo». La misma regla que aplicas si es el propio niño el que se dedica a jugar con la comida y tira al suelo el pan, la pizza o una papa.

Esto que haces casi a diario desde que tienes niños una vez que has pasado de la fiebre de la esterilización tiene hasta nombre en el mundo anglosajón: *la regla de los cinco segundos*. Es decir, si recoges lo que se te cayó antes de que haya estado cinco segundos en el suelo, no se ha contaminado y se puede comer.

Malas noticias, la regla de los cinco segundos es totalmente falsa. Los pocos estudios científicos sobre el tema concluyen que, aunque depende del tipo de comida y de suelo (por ejemplo, los alimentos secos tardan un poco más que los húmedos en contaminarse), el simple contacto con el suelo, por breve que sea, es suficiente para que el alimento se llene de bacterias.*

* La BBC hizo un pequeño vídeo sobre el tema; lo puedes ver aquí, en inglés: <www.bbc.co.uk/news/magazine-21945313>.

En otro estudio que realizó la Universidad Estatal de San Diego, se hallaron gérmenes en zanahorias y biberones que fueron recogidos del suelo antes de que transcurrieran los cinco segundos de rigor. Lo curioso es que se hicieron pruebas en varias zonas de la cocina, como el fregadero, la encimera o la mesa, así como en baldosas y alfombras. Y el área más contaminada, según los expertos, fue la encimera, seguida de las alfombras. Pero ganaban en contaminación a ambas zonas... ¡las bandejas de las periqueras!

Mi conclusión: pues esos alimentos recogidos del suelo tendrán gérmenes, pero igual que los tienen esas manitas sin lavar con las que cogen los gusanitos, la rueda de la carriola que chupan, los chicles que se intercambian o los mocos que se comen. Personalmente, y a menos que la comida haya aterrizado encima de una cagada de perro, creo que, si hay que elegir entre gérmenes o una crisis mundial, prefiero gérmenes.

El complemento que acompaña a toda madre

Eres madre. Tu hijo ya mastica. A partir de ahora, hazte a la idea de que, durante unos años, tu imagen estará indisolublemente unida a un complemento, aunque no pienses en bolsos, aretes o zapatos. Ese complemento que siempre llevarás como una extensión de tu mano es... el plátano.

No es que combine muy bien, pero es ideal para merendar a la salida del colegio o en el parque: tiene vitaminas, potasio, se pela sin necesidad de cuchillo, a los niños les suele gustar... Pero, por alguna extraña razón, siempre acaba, con la piel abierta y a medio mordisquear, en tu mano.

Cuando son más bebés, entre el año y los tres, lo sujetas tú porque temes que acabe en el suelo con cualquier distracción del pequeño, así que se lo das a bocaditos mientras juega o pasea. Pasada esa edad, lo sujetas tú porque te lo colocan para salir corriendo detrás de un amigo, subirse al columpio o porque tienes la esperanza de que se lo acaben pese a haberte dicho: «Mamá, no quiero más».

De modo que, además de tu abrigo, su abrigo, su *baby*, su sudadera, tu mochila y su carpeta, llevas, en la mano que aún te queda libre, un plátano. Tirar la comida está feo, y más si es sana, así que persigues a su destinatario para que se lo acabe, bocadito a bocadito, o te lo comes tú. Desde luego, déficit de potasio no tendrás.

Comida fría y exprés

Cuando tienes niños pequeños, te preocupas por su alimentación, pero es la tuya la que empieza a sufrir algunos cambios, y no precisamente para bien. De repente, descubres que muchos días comes frío. Y que, cuando antes masticabas, degustabas, paladeabas, ahora tragas, en un intento desesperado por acabar lo antes posible.

Si estás en casa, entre que le cortas el filete, te levantas por algo que te falta (bueno, en realidad, por algo que te pide), le echas agua, le dices que coma, recoges lo que ha escupido, lo regañas, le dices que se siente bien y que use el babero o la servilleta, sentirás que te faltan manos. Y si tienes más de un niño, directamente te sentirás pulpo de tantos brazos que vas a necesitar.

Si estás en un restaurante, le tienes que sumar a todo lo anterior correr detrás del niño si es de los inquietos, acompañarle al baño e intentar que hable bajito para no molestar a los demás, lo que te mantendrá en estado de tensión durante toda la comida. Si has ido a un sitio en el que disponen de una ludoteca o una animadora para entretener a los pequeños (¡qué listos los empresarios, cada vez hay más!), también tendrás que levantarte varias veces para vigilarle, llevarle de vuelta porque se ha escapado...

Así que, cuando al fin ves un ratito de calma, aprovechas para engullir toda la comida, que ya se te enfrió, antes de que vuelvan al ataque. La gracia es que cuando no estás con ellos, por ejemplo, el día que llegas pronto del trabajo y no han vuelto todavía del colegio, incluso la noche que consigues salir a cenar con tu pareja, también engulles, ya se te quedó la costumbre y te resulta imposible relajarte delante de un plato de comida. En realidad, estás en un estado permanente de inquietud esperando el próximo «¡Mamáaaaaa! ¡Papáaaaaa!».

El complejo de camión de la basura

Desde que soy madre, aparte de comer a toda prisa y frío, como sobras. Muchas. Da pena tirar comida. Y, muchas veces, es lo más rápido y limpio. Por ejemplo, ¿qué haces con el medio plátano del que hablábamos antes, cuando al fin pierdes toda esperanza de que se lo coma? Pues al buche. Están comiendo fuera y dejan la mitad de los *nuggets*. ¿Los desperdicias? No. Al buche. Sale corriendo a jugar antes de terminarse la bola de helado, que se va a derretir. Pues al buche. Cenas en casa, y deja el último bocado de pescado. ¿Lo más rápido? Al buche. Tampoco hay que hacer gestos aunque se trate de algo mordisqueado, incluso chupado, escupido o que se escurre por su barbilla, y que limpias con el dedo que después te chupas. ¿No son acaso sangre de tu sangre? Pues también serán saliva de tu saliva, ¿no?

También puedes variar de método: por ejemplo, el bollo que no se termina en la merienda, te lo guardas en la mochila y, al día siguiente, te lo comes para desayunar. Así estoy, que parezco que estoy embarazada de un cuarto niño.

La perversión de este complejo de trituradora humana es cuando miras al niño fijamente y deseas que NO se termine el plato porque es algo que estás deseando comer. Porque, como padres amorosos que son, le sirven a él lo mejor de la comida. La última croqueta de jamón, la rodaja más jugosa de la merluza, el filete más tierno... Pero, como niño pesado que es, no necesariamente le gustará lo que le pongas. Y ustedes lo mirarán expectantes, a ver si con suerte en esta ocasión no se lo quiere terminar.

Cuando lo ves flaquear, le preguntáis inocentemente: «¿Te vas a acabar eso?». Y si dice que no, lo tomarás así, como quien no quiere la cosa: «Qué pena, entonces me lo voy a comer yo».

Adultos que vuelven a comer dulces
Los gusanitos y los aspitos (como los gusanitos, pero en una barra más grande) son de lo más sano y están buenísimos. Pero, además, hay todo un mundo de golosinas que vuelve con fuerza en forma de regalitos de cumpleaños de los compañeros del colegio: chupa chups, palotes, pica pica, petazetas (sí, ¿qué pasa?, ¡si los usa hasta Ferran Adrià!). Normalmente, incautas la bolsa después de dejar que se coma un par de ellas y la guardas en un armario de la cocina para sacarla en caso de necesidad.

Meses después, cuando ya se han acumulado unas cuantas, haces limpieza. Algunas se han puesto duras como piedras, otras rancias y otras parecen demasiado feas incluso para los niños, como esas botellitas con líquidos de colores. Ésas van al bote de la basura, después de haberte dejado medio diente intentando morder una gominola pasada. Te llevas el resto al trabajo para compartirlas con tus compañeros, adultos y no todos padres.

Y no queda ni una miga. Yo tengo excusa, soy una madre que me sacrifico por mis hijos, para que no se enfermen comiendo tanta porquería. Pero ¿y los demás? ¿Cuál es su excusa?

Pequeños vicios a escondidas
Sí, ¿qué pasa? A veces me apetece tomarme un helado y soy mala: no quiero compartirlo. Porque si lo saco, se me tiran encima cual pirañas y, al final, mi helado ya no es mi helado, sino un helado comunal y, como tal, chupado, babeado, medio derretido por tres pequeñas bocas ansiosas.

Lo mismo pasa cuando me quiero tomar MI refresco, MIS papas o MI bombón. Así que a veces tengo que hacerlo a escondidas en la cocina, cuando sé que están entretenidos por un poder más fuerte, como la tele, o cuando están ya acostados.

Otro pequeño vicio que tengo es el de dar tragos de jugo, directamente de la botella, cuando abro el refrigerador para otra cosa. Es como cuando el personaje desesperado de una película tomo una botella de vino y se sirve un buen vaso, o bebe directamente de ella. Por suerte, a mí me ha dado por algo mucho más sano.

Es una forma como otra cualquiera, supongo, de calmar la ansiedad cuando ves que te falta el tiempo, que se pelean cada dos por tres, cuando estás un poco agobiado. Abro el refrigerador, por ejemplo, para sacar un par de huevos y, ya de paso, tomo la botella de jugo, le doy un trago, la cierro y la vuelvo a dejar. Al rato, repito la operación cuando saco la lechuga.

¿Es raro? Cada uno que encuentre su método. A mí me sirve.

8
CACA, CULO, PEDO, PIPÍ

«¡Admiren el poder del culo!»

DAVID, cuando tenía cinco años,
mientras se daba palmadas en el trasero

Antes de ser madre, lavaba con guantes. Y hasta con ellos puestos me daba repugnancia meter la mano en el fregadero cuando había cosas flotantes en el agua. Casi me dan arcadas sacando pelos del sumidero de la ducha. No miro jamás los residuos que deposito en el inodoro. Dejé de ir de campamento porque me detenía hasta una semana ante la simple idea de tener que ir todos los días a un baño público. Pero desde hace seis años, la escatología está tan presente en mi vida que se me han quitado bastantes de estas tonterías. Y es que tener hijos implica rebozarte, a veces de forma literal, en caca, pipí, mocos y todo tipo de fluidos. Adáptate o muere de asco.

Cacas: tipología

Frecuentemente se caricaturiza a los padres como unos adultos cuyo tema de conversación principal gira en torno a las cacas de sus hijos. Tampoco es para tanto, aunque sí es verdad que durante un tiempo, diría que el primer año y pico, es un tema que da lugar a dudas y consultas. Los pediatras, en general, recomiendan no preocuparse a menos que las deposiciones sean de color rojo, negro o blanco, o duras, que indican estreñimiento. Hay tantos tipos que, para no perdernos, se los voy a presentar en una clasificación de las más habituales:

EL MECONIO. Visualmente, es de lo más asqueroso, aunque por suerte lo verás muy pocas veces. Son las primeras deposiciones del recién nacido, una plasta pegajosa de color entre verde oscuro y negro, y compuesta por una mezcla de moco, líquido amniótico, restos epiteliales y bilis. El bebé tarda en eliminarla entre uno y dos días.

LA CACA AMARILLA MOSTAZA. Es la típica de los bebés que solo toman el pecho. Al digerirse la leche materna casi por completo y dejar muy pocos residuos para eliminar, es bastante líquida, aunque la textura varía y a veces puede presentarse un poco más espesa o con grumos. Es la mejor en términos de olor, porque no apesta, casi ni huele mal. Pero es pegajosa, con tendencia a rebosar del pañal, y las manchas son tan difíciles de quitar que se diría que son radiactivas. Para que salgan, hay que frotarlas casi de inmediato con agua y jabón, antes de que se sequen. Tras esta intervención de urgencia, se pueden lavar con normalidad en la lavadora.

LA CACA AMARILLA-MARRÓN. Ésta es la gama cromática de los bebés que toman leche de fórmula. Es más pastosa, con más consistencia, y huele peor. Se parece más a la caca de adulto.

LA CACA VERDE. Ésta es una de las que preocupan las primeras veces que la ves, e intriga mucho a los padres. He leído dos explicaciones al respecto: que se debe a los cambios en la flora intestinal, que hacen que no se digiera la bilis; o a que el bebé alimentado con pecho toma más de la leche del principio, con más lactosa, que de la del final, más grasa. Los pediatras se decantan más por la primera teoría y, si no hay otros síntomas, recomiendan no preocuparse.

LA CACA MARRÓN OSCURA Y PESTILENTE. Esto ya nos va sonando más. Aparece cuando el bebé come alimentos sólidos, además de leche, así que su caca empieza a ser como la nuestra, sólo que con forma aplastada por el efecto del pañal. Varía de consistencia según el bebé y lo que éste coma. A veces presenta tropezones de alimentos sin digerir, como la piel de las lentejas, los trozos de zanahoria, etc., que dan variedad y color a nuestras inspecciones.

LAS BOLITAS DE OVEJA. Hay que tener cuidado porque pueden indicar estreñimiento. Pero, en términos visuales y de limpieza de culo, son más agradecidas, ya que no son desagradables ni manchan mucho. ¡Ojo al quitar el pañal, que ruedan y pueden acabar esparcidas por todos lados!

LA CACA LIMPIA. Parece una contradicción, pero, después de limpiar muchos culos (bueno, en realidad, solo tres, pero muchas veces), he llegado a la conclusión de que existe. Es parecida a las bolitas de oveja, pero concentrada en un choricillo. Cuando el niño ya no usa pañal, lo suelta en el inodoro, le limpias, y ¡el papel aparece muchas veces completamente limpio!

LA DIARREA. La conocemos todos porque también la hemos padecido. Caca maloliente de distintos tonos de marrón o amarillo, que ataca a traición y en abundancia. Sólo puedo desearles suerte y que el chiquillo se ponga bien pronto. O que, por lo menos, le dé tiempo a llegar hasta el baño...

Caca a chorro

Uno de los peligros de la caca tipo 2, es decir, de la del bebé de pecho, es que sale propulsada sin aviso ni esfuerzo, con un simple pedo. No fui consciente realmente de la facilidad con la que salía hasta el día en el que David, cambiándolo en nuestro dormitorio, de repente, hizo un pequeño movimiento de esfínter que disparó un largo chorro de caca líquida.

Ante tal ráfaga de francotirador, hay dos reacciones. La de los héroes, que interponen su cuerpo, en plan escudo, para que no resulten heridos los demás. Y la de los normales, un poco gallinas, que se apartan. Obviamente, yo soy más del segundo tipo, así que hice un movimiento tipo *Matrix* para esquivarla. La caca, que describió un arco perfecto, me rozó por un lado, también salpicó los volantitos del moisés del bebé y acabó estampada contra la pared. Alcance: dos metros.

Desde entonces, cada vez que teníamos que cambiar a un bebé que no hubiera hecho caca en un largo rato, sufríamos la angustia y la incertidumbre de no saber si íbamos a ser atacados.

Lo primero que hacíamos al salir de la bañera, o al cambiar el pañal, era deslizar a toda velocidad otro pañal limpio bajo su trasero. Y en cuanto hubiera el mínimo amago de movimiento intestinal, cerrar el pañal inmediatamente.

Si echo la vista atrás, y sabiendo todo lo que tuve que frotar y limpiar, te recomiendo que contengas el impulso de supervivencia y que frenes el chorro de caca con el cuerpo. Así sólo tendrás que lavar una o dos prendas.

De seis cacas al día a una semana sin caca

La vida de los padres del bebé es así, está llena de altibajos. Lo mismo el bebé hace caca cada vez que come, como le pasaba a David las primeras semanas, que, de repente, normalmente cuando ya ha pasado el primer mes, deja de hacerla una temporada, que puede ir desde los dos o tres días hasta superar los veinte. Y todo ello está dentro de la normalidad. Sin embargo, los bebés alimentados con biberón no pasan por ese período de excedencia y suelen hacer caca cada día, entre una y cuatro veces. Si tardan más, es posible que tengan estreñimiento.

Pese a que había leído sobre el tema, no pude evitar inquietarme cuando David llegó a su fase de no hacer caca, hacia los tres meses. No sé si fue autosugestión, pero le notaba más inquieto e incómodo, aunque en teoría no tiene por qué afectarles. Así que, siempre que podía, le hacía un masajito en la barriga con la intención de aliviarle un poco y ver si salía algo. Lo mismo me pasó con Natalia y Elisa, aunque con ellas fue antes, hacia el mes.

No se trata de una fase de estreñimiento, porque, cuando al fin depositan, la caca sigue saliendo blandita, no en forma de bolas duras y secas. De modo que no hay que darles supositorios, laxantes, jugo de naranja ni estimularlos con una ramita de perejil.

Simplemente, hay que esperar y, de ser posible, con el impermeable puesto, porque, cuando al fin sale, desborda.

Ay, ay, ay, la niña está estreñida...
Si hay algo peor que estar tú estreñido, es que lo esté uno de tus hijos. Porque tú eres mayor y lo pasas mal, estás hinchado, te sientes pesado, pero digamos que puedes tomar medidas por tu cuenta y sabes que, aunque duelan, es lo mejor.

Pero con un niño, sobre todo si es pequeño... Tú intenta explicarle que tiene que seguir pujando para que esa caca gorda como un puño y dura como una piedra salga, al tiempo que llora, grita, cierra el trasero, dice que no quiere, se intenta bajar del inodoro... Pues sí, agobia verle sufrir y pensar que eso puede durar varias semanas.

De momento, toco madera, porque sólo lo hemos sufrido una vez, con Natalia, cuando tenía casi dos años. Recuerdo que fueron unas semanas de verdadera angustia, cómo lloraba siempre que iba al baño, incluso cómo lloraba yo cuando el agobio me superaba.

El problema es que el niño entra en el círculo vicioso de: 1. me-aguanto-la-caca-porque-me-duele 2. la-caca-se-hace-más-dura-porque-no-sale 3. la-caca-está-tan-dura-que-me-hace-una-fisura. Y vuelve a empezar.

La pediatra nos recetó unos polvitos que tuvimos que echar en la comida durante semanas, pero no noté que le hicieran efecto. Además, nos hizo las recomendaciones de siempre: mucho líquido y alimentos con fibra. El caso es que no se había dado ningún cambio en su dieta que explicara el estreñimiento súbito, ni hicimos nada concreto para que la situación se volviera a normalizar. Así como el estreñimiento vino, se fue. Un día hizo caca y no le costó tanto, así que rompió el círculo.

Objeto flotante en la bañera
Si David es el experto en cacas explosivas y Natalia en cacas secas, Elisa es la reina de la caca flotante. Ella sola nos ha dejado más

barquitas tan contaminantes como el *Prestige* que todos los demás miembros de la familia juntos.

La cosa suele suceder así: bebé grandecito en la bañera, chapoteando alegremente, con sus juguetes flotando en el agua. De repente, parece que se concentra en algún pensamiento trascendental al tiempo que se pone un poco colorado. A menos que esté estreñido, ya es demasiado tarde.

En ese momento, puedes hacer dos cosas:

Intentar que no caiga todo en el agua. Pegas un grito, lo tomas por las axilas y lo sacas, chorreando, para sentarla en el inodoro con la esperanza de que el regalito no esté en la bañera. No te engañes. Ya se ha reblandecido tras entrar en contacto con el agua y, si no está flotando con los patos de goma, es que se ha caído al suelo en el trayecto desde la bañera hasta la taza.

Dejar que siga su curso. Pegas un grito, lo tomas por las axilas y lo sacas, chorreando. Dudas entre retirar primero la caca, aún flotando, con un papel que se va a empapar o dejar que se vaya toda el agua de la bañera y que la caca se quede pegada en el fondo. Da igual. Es todo un asco.

Vacías la bañera, sacas la caca, metes de nuevo al niño, le das una ducha rápida, lo secas y lo vistes, y luego lavas la bañera, la alfombrilla y los juguetes.

Por supuesto, es peor si esto pasa cuando se están bañando los dos o los tres niños a la vez.

Operación Pañal

Llámase así a las semanas, a veces meses, de tensión que siguen a la decisión de quitarle el pañal al niño. No sé si la palabra *tensión* es un poco exagerada, pero durante este tiempo tienes que estar siempre pendiente de: llevarle al baño a intervalos regulares, pongamos cada dos o tres horas; llevarle al baño cuando ves que se toca sus partes, que se pone rojo, que se esconde o cuando te dice «pipí» o «caca»; negociar, adularlo o directamente sujetarle y obligarle a que se quede sentado en el orinal o en el escusado (con el consiguiente drama) cuando insiste en que no tiene ganas y tú, por el tiempo que ha transcurrido desde la última vez, estás convencido de que sí; acordarte de aplaudir y dar exageradas muestras de alegría cuando hace algo en el sitio correcto; acordarte de llevar una o dos mudas a cualquier lugar al que vayan; acordarte de no llevarle a sitios donde no hay baño; acordarte de no hacer trayectos muy largos sin baño... Ok, sí, voy a usar *tensión*.

En España se suele quitar el pañal a los niños entre los dos y los tres años (el diurno, del nocturno hablaré más adelante). Aunque los expertos explican que es una cuestión fisiológica, que depende de la madurez tanto física como emocional de cada niño, se hace a esta edad con la vista puesta en el kinder, que empieza a los tres años y donde normalmente te exigen que ya controlen esfínteres porque los maestros no están para cambiar pañales.

Aparte de que se suela hacer cuando empieza el buen tiempo, para tener que quitar menos ropa cada vez que se va al baño y tener que cambiar menos capas en caso de escape, es recomendable que el niño muestre ciertas señales de que está preparado, como que se dé cuenta él solo de que ha mojado el pañal, que sea capaz de decir las palabras *pipí*, *caca* o de referirse a ello de alguna manera, que pueda bajarse solo la ropa para ir al baño o que se muestre interesado en hacer pipí solo o en ver cómo otros hacen pipí y caca.

Lo normal es que se te metan en el baño cuando vas tú y que empiecen a preguntar: «¿Mamá pipí? ¿Mamá caca?». Y tú: «Sí, ¿ves?, la pipí y la caca se hacen en el escusado». Repetido varias veces, porque ellos son así. Vamos, una conversación de esas profundas que te apetece mantener mientras vas al baño. También se les puede enseñar algún libro sobre el tema (hay varios con un botón que al pulsarlo hace el ruido de la cisterna del inodoro), y ponerles pañales de sube y baja e incluso calzoncillos encima porque les hace gracia. Y aprovechar cuando muestran interés para sentarlos en el orinal o en el inodoro.

En la guarde de David y Natalia, cuando estaban cerca de cumplir los dos años, los empezaban a sentar cada dos horas en el orinal y los tenían un rato ahí, charlando, haciendo amistades y a veces caía algo. La idea era que en casa hiciéramos lo mismo y que el resto del tiempo siguieran llevando pañal. Pues bien, David estuvo así desde los 26 meses, sin hacer nada en el orinal del colegio y negándose a sentarse en casa. Al final, un día decidimos quitarle el pañal a las bravas, a los treinta meses. Y, ¡sorpresa!, salvo un par de escapes puntuales, la pipí la controló enseguida. Costó que hiciera la primera caca en el inodoro, lloraba de miedo, pero conseguimos que se quedara sentado, y, cuando salió la primera y vio que no pasaba nada, no hubo más problemas.

Natalia empezó a los 23 meses y, desde el principio, le encantó, así que casi todos los días volvía con alguna carita sonriente pintada en la mano porque había hecho pipí o caca en el orinal del colegio. En un mes le quitamos el pañal, y, aunque controlaba el tema bien en general, el primer año tuvo bastantes más accidentes que su hermano, muchas veces porque estaba tan ocupada jugando que se aguantaba hasta que no podía más.

Y a Elisa, que no va a la guarde, la empezamos a sentar en el orinal también a los 23 meses. A los dos años le quitamos el pañal, y, aunque controlaba bastante bien el asunto, como su hermana, al principio tuvo muchos escapes, sobre todo con la caca, porque estaba distraída. Decía: «Quiero hacer popó», la tomabas en vilo, la llevabas al váter y, cuando le desenvolvías el paquete, resulta que ya estaba ahí, calentita en los calzones. Pasamos por una fantástica quincena de limpiar, lavar y frotar a diario. Hasta que, gracias a un grupo de madres de Facebook, descubrí un truco fantástico; bueno, en realidad, un auténtico soborno: un pipí en el orinal, una luneta; una caca, tres lunetas. En una semana, tema resuelto.

La casuística en la operación Pañal es tan variada como los

niños, sobre todo con la caca. No es raro que se escondan para hacerse o que se aguanten y pidan hacerlo en el pañal. Ante todo, paciencia, tranquilidad y refuerzo positivo.

Como curiosidad, los tres míos usan el inodoro casi desde el principio, sin bacinica. Se sujetan estupendamente, aunque al principio son tan pequeñitos que no llegan solos y parece que se van a colar enteros por el agujero. Si consigues que no necesiten el bacinica, mucho mejor, un cacharro menos que fregar.

Y felicidades. Ahora empieza una nueva fase en tu vida: durante los siguientes dos años dejarás de cambiar pañales y pasarás a limpiar culos y raspar *tigretones* del inodoro.

Peregrinación al baño público

Ya conté antes que cuando iba de campamento, de más jovencita, podía aguantarme las ganas de ir al baño hasta una semana por no hacerlo en los baños públicos. Soy de las que asomo la cara al inodoro con aprensión, así, con un ojo cerrado para que el impacto sea menor, para comprobar si quedan restos del anterior usuario.

No diré que ahora me gusta, pero sí es cierto que, a fuerza de ir, e ir, e ir, e ir, vas desarrollando cierta resistencia. Y es que, cuando estás en pleno subidón porque a tu peque, de entre dos y tres años, le has quitado el pañal, no eres aún plenamente consciente de las visitas que vas a tener que hacer a los baños públicos a partir de ahora, estén en el estado en el que estén. Y da gracias si los hay, y de no tener que gestionar un apretón en medio del parque o de una calle sin bares.

Es de ley. En cuanto te sientas en un restaurante y te acaban de servir la comida: «Quiero hacer pipí». Da igual que al entrar les hayas preguntado veinte veces, que les hayas vuelto a insistir en si quieren aprovechar cuando van al baño para lavarse las manos. «No tengo ganas». «¿Cómo puede ser que ahora sí tengas ganas si sólo han pasado veinte minutos?»

Vas y, ya de paso, haces una ronda a ver si algún niño más de la mesa siente también la llamada. Se apuntan todos. Ya en el baño, y mientras les intentas apurar con un «Date prisa, que se enfría la comida», ellos dicen con cara picarona: «¡Y también quiero hacer caca!». Normalmente lo pide el más lento, el que de mayor seguro que se llevará un libro para disfrutar más durante la faena. Así que hay que añadir tiempo a la espera, buscar papel, que no siempre lo hay, limpiar culos, lavar manos...

Al principio intentaba levantar a las niñas para que hicieran pipí sin tocar el escusado. Pero en aras de su independencia y de mi espalda, hago de tripas corazón, cierro los ojos y dejo que se sienten. Ya se bañarán en casa.

Como los perritos

Hasta que no te sucede, esto que voy a contar suena a guarrería incívica. A mí ni se me había pasado por la cabeza que se hiciera algo así. Pero, dada la situación, a veces no hay más remedio. ¿De qué situación hablo? De los apretones que les dan cuando no hay un baño a mano. Sobre todo durante los primeros meses, incluso diría que durante el primer par de años, después de quitarles el pañal.

Hicieron pipí antes de salir de casa. Caca no, porque si no hay ganas no se puede forzar. Estás en un parque, o en la calle, y de repente: «Pipí». O peor, mucho peor: «popó».

Lo primero que haces es un cálculo mental que implica, aunque no seas consciente de ello, todas las funciones matemáticas que aprendiste hace ya siglos, con estas variables:

T: tiempo de aguante de tu hijo hasta que le gane. A mayor edad, mayor aguante.

D: distancia hasta el baño disponible más próximo.

V: velocidad corriendo a ritmo de niño de dos años o de adulto con niño en brazos. Los hermanos (sobre todo los pequeños) reducen drásticamente la velocidad. También cargar con la compra o con los abrigos y las mochilas después de salir de clase, ya que aumentan el peso.

Si crees que la conjunción de estas tres variables es negativa y que no van a llegar a vuestro destino a tiempo, tienes que ejecutar el plan B.

Si son aguas menores, es relativamente sencillo. Porque ¿quién no ha hecho pipí de pequeño (incluso de no tan pequeño) entre dos coches o detrás de un seto del parque? Pero, ojo, que hay gente que se pasa, por ejemplo: he visto a padres poner a mear a los niños en el árbol que hay en la puerta de mi colegio. Creo que ahí la combinación de variables hubiera dado positiva, pero es simple pereza de tener que subir la escalera y llevar al niño al baño que hay dentro.

Pero si son aguas mayores, complicado. Tienes dos opciones: dejar que se lo haga encima y luego llevarte al niño con el pastelón a casa, o esconderlo detrás de un seto, o entre dos coches, y ponerle a hacer caca. A mí ni se me había ocurrido que existía esta opción hasta que vi a la madre de una compañera de David hacerlo. Luego, recogió la caca con un papel, como hacen los dueños de los perritos, y la echó a la basura.

Cierto es que me escandalicé un poco, pero, pensándolo bien, ¿qué habría hecho yo? Creo que si se recoge, como se hace con los perros, no tiene mayor importancia, mientras sea la solución para un apretón puntual y no se convierta en una costumbre.

Pañal hasta los dieciocho

Ya he hablado de cómo se desarrolló la Operación Pañal en mi casa. Pero una cosa es el pañal diurno y otra, el nocturno. Y es que lo de hacerse pipí en la cama es bastante normal, aunque no se hable mucho del tema porque, por alguna razón, da vergüenza. Es tan normal que afecta al 10-13 por ciento de los niños de seis años y al 6-8 por ciento de los de diez, según datos de la Asociación Española de Pediatría.

En casa, nos deberían hacer socios honoríficos de la patronal de fabricantes de pañales. Cuando David los dejó de usar durante el día, ya no recuerdo si nos contaron o leímos que había que esperar a que se levantara seco varias mañanas antes de quitarle el pañal nocturno. Y así, esperando, esperando, llegamos a los cinco años y medio. Y ya es difícil, pero en todo este tiempo se hizo pipí todas y cada una de las noches.

Pero, de repente, una mañana se levantó seco, y desde entonces sucedió lo mismo todas las mañanas, excepto, creo, en una ocasión. No hicimos nada, no cambiamos nada. Simplemente, había llegado su momento. El año anterior, probamos a quitarle el pañal durante una semana, y fue una tortura: se hacía pipí todas las noches, incluso dos veces, y estaba tan profundamente dormido que ni se despertaba. De modo que, con total normalidad, hablamos con él, le volvimos a poner el pañal y esperamos.

Creíamos que a Natalia se lo quitaríamos bastante antes, porque ella sí que sacaba pañales secos desde el principio, aunque no de forma continua. A los cuatro años, se despertó con el pañal seco durante varios días seguidos, así que se lo quitamos. Y, ¡zas!, desde entonces, pipí encima todas las noches. Estuve una temporada levantándola de madrugada. Pero, como me explicó una psicóloga infantil, aunque puede ser positivo para que amanezca seca y reforzar así su autoestima, habría que despertarla del todo, porque si lo hace medio dormida en realidad fomentamos que siga haciendo pipí mientras duerme. ¡Uf!, despertarla completamente a las cinco de la madrugada, y arriesgarse a que no se vuelva a dormir y a que despierte a sus hermanos... no.

Al final, acabamos volviendo al pañal porque las pérdidas iban a más, y muchas noches incluso se hacía pipí tras haberla llevado al baño de madrugada. Los padres seremos un poco masoquistas, pero ni al más sacrificado le recomiendo eso de jugar a adivinar cuáles son las dos horas mágicas a las que hay que levantar al niño cada noche para interceptar la pipí a tiempo. No tiene sentido, acaban todos, hijo incluido, estresados y malhumorados por la falta de sueño, por deshacer y rehacer camas, lavar sábanas..., cuando suele ser una cuestión de madurez que no depende del niño.

Técnicamente, ni siquiera se habla de enuresis (incontinencia urinaria) hasta después de los cinco años (incluso de los seis para los varones). Es decir, antes de esa edad se considera normal mojar el pañal. Lo primero es que el pediatra descarte causas orgánicas, como malformaciones, infecciones o diabetes. También es frecuente que haya antecedentes familiares. En cualquier caso, hay que tener mucha paciencia y no presionar diciendo que sus amigos ya duermen sin pañal, ni recriminarle que moje la cama, a menos que lo haga a propósito. Eso sí, si al niño le empieza a dar vergüenza o influye en su autoestima, es recomendable acudir al pediatra para que valore la necesidad de ponerle algún tratamiento.

Por suerte, Elisa nos ha dado la agradable sorpresa de controlar la pipí nocturna perfectamente desde el principio. Le quitamos el pañal de la noche un mes después de dejar el de día porque lo tenía seco todas las mañanas. Y es curioso que aguante toda la noche sin hacer pipí, porque de día se le suele escapar alguno de vez en cuando.

Ese simpático chorrito de leche

Se habla, y se espera mucho, del pipí y la caca. Pero no nos olvidemos de otras sustancias que salen despedidas del cuerpecillo de nuestros pequeños, en concreto por la boca.

Por ejemplo, se habla poco del reflujo. Ese chorrito de leche que tu precioso bebé de pocos días o meses te echa encima después de darle el pecho. Como una fuente. Encantador. David tuvo reflujo hasta que empezó a comer sólido, así que los primeros meses lo manejábamos como si fuera una pequeña bomba de relojería que en cualquier momento te iba a echar una bocanada.

Nunca lo pudimos levantar por encima de la cabeza, boca abajo o haciendo el avión. En casa, tenemos decenas de toallas de cara (las pequeñas), porque nos acostumbramos a llevar siempre una al hombro en el que lo recostábamos para que no nos mojara la ropa. En casi todas las fotos de cuando era bebé, lleva babero, porque iba siempre con uno puesto para que no se le empapara la pechera. Aun así, casi siempre tenía los cuellos de las prendas húmedos.

El pediatra nos explicó que no tenía importancia, que simplemente no tenía maduro el esfínter esofágico, un anillito de fibras musculares que cierra el estómago cuando ha pasado la comida e impide que vuelva a subir por el esófago. De hecho, más de la mitad de los bebés tienen reflujo durante los primeros tres meses.

Pero da igual, nadie te quita el agobio de ver a tu bebé, en este caso, además, el primero, echando lo que tú crees que es casi toda la leche que se acaba de tomar. Solo te vas tranquilizando cuando ves en las sucesivas revisiones que, pese a todo, va engordando con normalidad. Hay casos más graves que afectan al crecimiento o en los que los jugos gástricos del estómago suben e irritan el esófago y la garganta. Estas circunstancias sí que requieren tratamiento.

Aunque David echaba mucha leche, solía hacerlo poco después de comer, así que por lo menos no olía mal. Y es que con los vómitos es otro cantar.

Vómito por todas las rendijas

Mis hijos (y lo digo bajito para no cebarlo) no son muy de vomitar. Vamos, que pasada la fase del reflujo, por suerte, son contadas las veces en las que alguno de ellos ha devuelto cuando se ha puesto malo. Y digo *por suerte* porque todavía tengo muy reciente uno de esos episodios, así como la media hora que me pasé limpiando hasta la última rendija del coche donde se había introducido el liquidillo. Porque, eso sí, vomitan poco, pero cuando lo hacen, el coche es uno de sus lugares favoritos.

Natalia, que es muy exquisita para algunas cosas, no empezó vomitando en cualquier sitio, no. Lo hizo en plena merienda elegante a la que habíamos sido invitados antes de una función de Navidad en el circo Price, con un *catering* servido por Caritina Goyanes, una *socialité* de la prensa rosa. Era una fiesta en la que convivíamos periodistas y blogueras maternales con famosos y famosillos, y nuestros niños.

No es que la merienda estuviera mala, que ni la probó. Es que venía ya, aunque yo todavía no lo sabía, empachada de la celebración navideña del colegio. Así que pasó de estar con flojera a levantarse, cogerme del brazo y decir: «Mamá, he vomitado». Antes de que me diera tiempo de asimilar la información y activar el comando de limpieza y control de daños, el hijo de una famosilla —que también corren y juegan en los actos sociales— ya había pisado el líquido, patinado sobre él y se había caído de nalgas. Al menos, no tiró la mesa con los minimacarrones, las brochetitas de fruta y las magdalenitas.

Para no arriesgarme a que devolviera encima de alguna celebridad durante la función, me la llevé, junto con la pequeña, a casa. Conseguimos atravesar el *photocall*, el *hall* y el estacionamiento sin vomitar. Y cuando estábamos a medio camino de casa, yo totalmente confiada y pensando que después de dejarla podría volverme al circo, oí: «Mamá, quiero vomitar».

Son momentos así los que ponen a prueba toda la preparación inconsciente que has recibido durante los años que llevas como madre. Cuando demuestras si te has convertido en una MacGyver de la crianza o si aún andas en el nivel de esa primeriza que no sabe qué hacer con un recién nacido en brazos. En el carril exterior de una calle muy concurrida, calibras mentalmente si sirve de algo abrirle la ventana a la niña para que vomite hacia fuera (idea rechazada, no llegaría), repasas si llevas una bolsa de plástico en el bolso o la guantera (negativo, gran fallo), y calculas en qué punto exacto de la calle podrás colocarte a la derecha y parar para que se baje del coche sin provocar un accidente. A la vez, dices, con voz aparentemente tranquila: «Aguanta, Natalia, aguanta, que ahora mismo paro».

Y son momentos así los que te devuelven a la realidad. Por muy MacGyver que seas, hay imponderables como el estómago revuelto de una niña de cuatro años. «No puedo, mamá. Ya está». Así que, cuando paré al fin, sólo pude darle un kleenex para que se limpiara lo más gordo y la papelera portátil del coche (una especie de urna funeraria colocada en la puerta del copiloto), donde al rato echó el resto. Eso sí, cuando llegamos a casa ya estaba tan depurada que no volvió a vomitar y se puso a jugar tranquila.

Catálogos andantes de mocos

Una de las consultas o quejas más habituales de los padres durante los tres primeros años de vida del niño, sobre todo si va al colegio, es que siempre tiene mocos. Bueno, *siempre* es una exageración. Normalmente en verano, coincidiendo con las vacaciones, se les quitan, pero el resto del año, de septiembre a junio, son un catálogo andante de mocos de todo tipo de textura y color.

Los hay transparentes pero líquidos, los hay espesitos pero fluidos y de color entre amarillo y verde, los hay en forma de pelotillas y oscurillos... Por algo llaman a los niños *mocosos*...

No pierdas tiempo ni dinero. No se puede hacer nada. Simplemente, cárgate de pañuelos de papel y espera. Llega un momento, hacia los tres o cuatro años, en el que por fin se inmunizan y tienen cada vez menos.

Con el primero, probablemente vayas al pediatra incluso varias veces. «Es que tiene mocos». Si insistes mucho, o no, depende del médico, puede que salgas con la receta de un mucolítico. Sin embargo, he aprendido, gracias a los médicos y pediatras que he conocido, que estos medicamentos, que en teoría vuelven el moco menos espeso para que salga más fácilmente, no tienen eficacia demostrada en estudios clínicos y que, en el caso de los niños, directamente no se recomiendan porque los efectos secundarios superan las hipotéticas mejorías. Los propios profesionales reconocen que muchos aún los recetan porque los padres se ponen pesados y así se van contentos y tranquilos.

De modo que, si sólo tiene mocos, dale mucha agua, suénale con frecuencia y espera a que cambien de estado líquido a esférico, o a que se pasen. Eso sí, es útil enseñar a los niños a sonarse cuanto antes, porque lo que sí es una verdadera tortura es el lavado con suero y el sacamocos. Así que en cuanto sepa soplar (por ejemplo las velas de cumpleaños), ponle el pañuelo delante y dile que sople por la nariz. Poco a poco, irá entendiendo la idea.

Esos mocos tan ricos

Natalia se come los mocos con verdadero placer. No uno de esos perdidos, por casualidad, sino en plan *gourmet*. A la que te descuidas, ahí está, escarbando cual buscadora de trufas, para luego metérselo en la boca. «Es que me gusta», explica.

Puede que sea algo hereditario, porque, lo confieso, yo también me comía los mocos de pequeña. Todavía recuerdo el sabor, saladito. También recuerdo haber pegado alguno, cuando no tenía papel a la mano, debajo del pupitre. La verdad es que prefiero que se los coma a que me los deje pegados por toda la casa.

Pese a mi escabroso pasado, me siento en la obligación de enseñarle que los mocos no se comen. Pero, en realidad, tampoco se me ocurre ningún argumento de peso. Así que digo cosas así: «Hija, mejor que no te comas los mocos porque...

a) ... todos los bichitos que llevan se te van a la tripa».
b) ... se te van a pegar las tripas».
c) ... te vas a poner mal».
d) ... está feo».

De momento, cualquiera de mis argumentos le da absolutamente igual. No se arredra ante nada. «Mamá, después de lavarnos los dientes ya no se puede comer nada. Pero ¡yo me estoy comiendo los mocos!...», me dice sin vergüenza. Tengo que echarle más imaginación.

El detector maternal de olor

Uno de los sentidos que más desarrollas al tener hijos es el del olfato. Aunque, al principio, el olor de los bebés recién nacidos es hasta adictivo y creas que vienen aromatizados de serie con colonia Nenuco, pronto te tienes que acostumbrar a otro tipo de aromas.

Por ejemplo, ¿a que no te imaginabas que les podían oler los pies? Y tan mal como a los adultos. No hace falta esperar a que sean adolescentes. En cuanto empiezan a caminar y les compras los primeros tenis monísimos, Nike o Adidas, para presumir, te das cuenta de que les pasa lo mismo que a ti: les sudan los pies y, si se ponen las playeras a menudo, huelen... a pies. Si es exagerado, aparte de tomar las correspondientes medidas higiénicas, se puede recurrir a algún producto de farmacia. También hay algunas marcas de tenis (como las Pablosky), que son menos bonitos pero tienen la suela interior de cuero, y se nota bastante. Es lo que salva a David de que lo corra de la casa.

Tu olfato se desarrolla hasta el punto de que eres capaz de distinguir el olor a caca de tu bebé frente al de otros bebés, y de superar las diferentes capas, que incluyen pañal plastificado, *body* y pantalones. De repente, te llega ese tufillo y, para confirmarlo, levantas al pequeñín, pones su trasero a la altura de tu nariz, lo olisqueas y emites el veredicto: «Se ha hecho caca».

Más te vale aprender a usar bien este sentido, porque, si no, te verás obligado a recurrir a otro, el visual combinado con el tacto, y es bastante más arriesgado. Consiste en separar ligeramente el borde del pañal con el dedo para ver lo que hay dentro. Y, claro, la mitad de las veces no sólo acabas viendo la caca, sino también tocándola.

Pero, ojo, que el olfato no es infalible, porque a veces lo desempaquetas y te encuentras con que era un pedo resistente.

Tengo la teoría de que los pañales modernos son tan absorbentes que hasta retienen el olor.

Con el tiempo, tu superpoder es tal que eres capaz de distinguir, con solo oler un pedo, si el niño tiene ganas de hacer caca. Es muy útil para mandarle inmediatamente al baño cuando está empezando a dejar el pañal y todavía se despista.

El olfato también te sirve para detectar enfermedades que se incuban, como cuando les huele el aliento. Y seguirás recurriendo a él durante muchos años. Sin ir más lejos, mi sobrino adolescente aún le pide a su madre que compruebe, empíricamente, si le huele mucho el sobaco.

9
EL SUEÑO

«Algo mal habré hecho en otra vida y ahora lo estoy pagando».

PAOLA, madre de Daniela, de siete años,
y de Paola, de uno

Ya no depende de ti

En cuestiones de sueño, yo era del tipo búho ceporro. Cuando aún podía elegir, prefería acostarme tarde, dormir doce horas del tirón y levantarme a mediodía. Pero cuando tienes hijos, el sueño deja de depender de ti.

Normalmente, empiezas a dormir mal ya en el embarazo, seguro que por algún rollo de esos de que el cuerpo y la naturaleza son sabios y te van entrenando para que te acostumbres a lo que te espera. Y lo que te espera son meses (si eres de los afortunados) o años de despertarte varias veces cada noche.

Puede que hacia los dos o tres meses, su bebé empiece a dormir cinco, seis, hasta siete horas seguidas. Llenos de felicidad, creen que dentro de nada dormirá toda la noche de un tirón. Ilusos.

Elisa, que es a la que tengo más reciente, dormía como una bendita a los tres meses. Aunque costaba que se quedara frita, cuando lo hacía, se despertaba sólo una vez en toda la noche. Pero conforme fueron pasando los meses, empezó a despertarse con mayor frecuencia. Y a los ocho meses, cuando suele darse un pico por la cantidad de cambios que viven (el inicio del gateo, el nacimiento de los dientes, el paso a alimentos sólidos o la angustia de la separación), podía despertarse cada tres, cada dos y a veces hasta cada hora. Una fiesta constante.

Cuando al fin duermen casi de forma continua, te despertarás al menor ruido proveniente del cuarto de los niños. Gritos y llantos por pesadillas o terrores nocturnos, cabezazos contra la pared, peticiones de pipí, de agua...

Quizá, cuando cumplan los siete u ocho años, disfrutes de unos años de tranquilidad hasta que empieces a no dormir de nuevo porque no han vuelto de la juerga nocturna. Pero, probablemente, tampoco puedas quedarte en la cama los fines de semana porque se despertarán a las siete o porque los tendrás que llevar a jugar un partido.

Pero no te preocupes, el cuerpo se acostumbra a todo. Yo he sobrevivido meses durmiendo cuatro horas y media, y no seguidas, sino con tres o cuatro despertares en medio. Cuando conseguía dormir tres horas continuas, me parecía que había descansado como si hubiera dormido la noche entera. Y si no, me pasaba las primeras dos horas del día bostezando y con un mal humor inaguantable. Aparte de eso, estaba perfectamente...

De hecho, en la redacción, por pura casualidad, los que tenemos hijos pequeños nos sentamos en fila. Hay días en los que la conversación consiste en calcular quién ha dormido menos o quién se ha despertado más veces a atender a sus niños. Desde la mesa de enfrente, nuestro compañero Miguel, que si pasa sueño es por haber salido de juerga (sea lunes, martes, miércoles o jueves), nos mira con guasa y dice: «Los niños... son una bendición». Aquí le espero. Nunca digas «de esta agua no beberé».

El detector de altura y el síndrome de la cuna con puntas salidas

Una de las primeras cosas que descubrirás es que los bebés tienen en alguna parte de su cuerpo un pequeño sensor implantado por una especie malvada de alienígenas que detecta cualquier cambio de altura de inmediato.

Funciona así: le das de comer. El bebé se duerme plácidamente en brazos. Está tan profundamente dormido que crees que ha llegado el momento de depositarlo en la cuna o la carriola para que duerma tranquilo. Error. Da igual que sea despacio, o meciéndole, o que lo hagas de rodillas mientras le ruegas a san Desiderio (según algunos, el patrón de los insomnes) que no se despierte. En cuanto bajas los brazos para acostarle, se pone a llorar. Lo cargas, lo meces, le das unos besitos, se duerme. En cuanto bajas los brazos, se pone a llorar.

Puede que consigas desactivar el sensor de altura, pero no cantes victoria. Porque entonces descubres que la cuna que compraron con tanta ilusión tiene puntas salidas. Sí, son invisibles y no se notan al tacto de un adulto, pero tu bebé los detecta en un plazo de entre un segundo y cinco minutos desde que le acuestas. Da igual que estuviera profundamente dormido, que lo recuestes sobre un arrullo calentito para que no note el cambio de temperatura, que le pongas al lado el perrito de peluche, que enciendas el móvil de luces y musiquita. Llora, más bien berrea, como si lo hubieras dejado sobre la cama de un faquir.

¿Y cómo le duermo entonces?

Cuando al fin tienes al pequeño en casa, intentas aplicar lo que has leído o te han aconsejado. Entre lo más habitual, está lo de dejarlo en la cuna cuando termine de comer y después de cambiarle para que se vaya acostumbrando a dormir solito. ¿Dormirlo en brazos? ¿Mecerlo? ¿Darle teta? ¡Ni hablar! Pero resulta que te ha tocado uno de esos bebés con detector de altura y síndrome de la cuna con puntas. ¿Qué haces ahora?

Pues lo que todos: dormirlo en brazos, mecerlo, darle teta. Con sus variantes: moverlo en la carriola, columpiarlo en una sillita, llevarlo en una mochilita, metértelo en la cama, meterte en su cama... Ahora bien, me parece exagerado lo que hacían unos conocidos, de subir al bebé en el coche (el de motor, no el carrito) y dar vueltas a la manzana hasta que se quedara dormido. Aunque, claro, la desesperación no entiende de métodos exagerados. Un día, cuando Natalia tenía unos cuatro meses, volví a casa y me encontré a mis padres meciéndola en una manta, cada uno agarrándola por un extremo, como si fuera una hamaca. Los pobres habían probado todos los sistemas convencionales y sólo habían conseguido dormirla así...

Ya he hecho mi defensa de los brazos con anterioridad, porque los bebés nos reclaman no por fastidiar, sino porque son unas criaturas indefensas y desvalidas que genéticamente están programados para permanecer pegados a sus padres y no para entender de comodidades como tener una cuna propia. Por eso creo que no es malo acompañarlos para que se duerman.

Pero, para llegar a esta conclusión, he tenido que sufrir mi propia evolución. Mi afán sobredocumentador de primeriza me llevó, durante el embarazo, al famoso y polémico método de enseñar a dormir del doctor Eduard Estivill, que por aquel entonces, leído en frío y sin un niño propio al que aplicárselo, me pareció de lo más lógico. Así que cuando David tenía seis meses, y viendo que seguía sin dormirse solo en la cuna, decidimos ponerlo en práctica.

He de reconocer que funcionó aunque no sé si fue el famoso método o que él es así. David es el que mejor ha dormido de los tres, normalmente de forma continua incluso entre los ocho meses y los tres años, la etapa de apogeo en despertares nocturnos que desarrollaron sus hermanas. Aunque también he de advertir que lo pasé francamente mal. Resumiendo, durante un par de noches lo dejábamos en su cuna con su perrito de peluche y, cuando lloraba, íbamos a verle a intervalos de tiempo cada vez mayores, hasta que se dormía. Sólo fueron un par de noches, porque a la tercera se durmió sin llorar, pero recuerdo la angustia de querer ir a cargarlo mientras mi cabeza me decía que lo dejara. Tanto me fastidió que no lo quise repetir con Elisa (con Natalia no hizo falta), y eso nos costó meses de dormir mal y la mayoría de nuestras broncas de pareja.

Eduardo, que ya había vivido con su hija María la experiencia de tener que darle la mano para dormirse hasta los cuatro o cinco años, quería evitar a toda costa volver a pasar por ello, así que defendía el método Estivill a capa y espada. Pero, como fui yo la que se negó de forma rotunda, me tocó dormir a Elisa cada noche casi hasta que cumplió los dos años. Por suerte, contaba con el narcótico más poderoso, la teta. Pero es cierto que, muchas noches, hubiera dado un riñón por dejarla en la cuna y poder irme, sin más.

La ley de Murphy del sueño infantil

La ley de Murphy dice que si algo puede salir mal, saldrá mal. El ejemplo típico es que el pan tostado siempre se cae al suelo por el lado donde está untada la mantequilla.

Pues, después de intentar dormir a bebés durante cientos de noches, estoy en condiciones de formular mi propia ley de Murphy en lo que al sueño infantil se refiere: «Nunca, y repito, nunca hagas planes para cuando se duerman».

Imagínate: después de media hora de darle la teta y otros diez minutos en brazos para que la transición no sea brusca, el bebé parece que está dormido. Le haces la prueba del brazo muerto: le levantas un bracito, lo dejas caer y no presenta la mínima resistencia. Incluso le abres un párpado con la mano. Ni se mueve. Entonces, piensas: «Qué bien, se ha dormido. Lo voy a acostar y me voy a dar una ducha / voy a cenar / voy a sentarme un rato a ver la tele / voy a atender la lavadora...». ERROR.

En cuanto piensas en el «voy a...», la has fastidiado. Acabas de activar mentalmente el detector de altura y la cuna con puntas.

Tienes que intentar, por todos los medios, acostarlo con la mente en blanco y sin mirar más allá de los próximos diez segundos. Sólo si estás preparado mentalmente para que se despierte enseguida, con esa intranquilidad que te impide disfrutar de cualquier actividad placentera o que te tiene acelerado para acabar una tarea a toda prisa, es cuando de verdad se queda dormido durante unas horas.

El Titanic

El Titanic es nuestra cama de matrimonio. En serio, el modelo de canapé que compramos, un gigante de madera en el que caben tantas cosas como en un armario grande, se llama así, Titanic. Pero lo que el fabricante no sabía, o quizá sí, es que el nombre también le queda como anillo al dedo porque, cuando te sientas o te tumbas en él, cruje como un barco a punto de irse a pique.

Puede que de día no se note tanto, pero de noche, cuando el bebé duerme en su cuna y, después de cenar, terminar de recoger y quedarte un poco en el sofá, al fin te vas a acostar, lo último que quieres es que un ruido intempestivo despierte al niño. Y es entonces cuando parece que vives en una casa encantada donde todo, desde la cama hasta la tarima, emite crujidos de ultratumba.

Pero, claro, no vas a cambiar de suelo ni de cama a estas alturas, con lo grande que es, con todo lo que hay dentro y lo que nos costó... Así que, por las noches, entras como un ladrón, sigiloso, de puntitas, en tu propio cuarto y hablas en susurros, mientras se te paraliza el corazón con cada chirrido.

Da igual lo que hagas, ellos tienen un detector, aunque con algo de retardo, para fastidiar más. Cuando ya te has metido en la cama, crees que lo has conseguido y estás a punto de dormirte, oyes el peor de los sonidos: «¡Buaaaaaaaaaaaaaaaaaaaa!».

Soy minera

Elisa es de la generación de los teléfonos inteligentes. Mientras la dormía, hacía de todo con mi iPhone, desde simplemente usarlo de linterna hasta jugar, chatear, navegar o incluso leer una novela.

Pero cuando David y Natalia eran bebés, no disponía de ese inventazo. De modo que, cuando necesitaba luz, pero no demasiada para no despertarlos del todo ni molestar a Eduardo, me ponía un frontal. También cuando me desvelaba de noche y me apetecía leer un rato. Por si no sabes lo que es, se trata de una linterna que se sujeta a la frente con una goma, como el foco que llevan los mineros.

Probablemente, si de mayores acaban yendo al psicoanalista, entre sus traumas infantiles encuentren el de ser atendidos de noche por un ser sin rostro bajo una luz blanca cegadora.

Aunque no creas que soy la única trastornada. Conozco varias madres más que lo han usado con los mismos fines. Un nicho de mercado por explorar para los fabricantes de frontales.

Tres son multitud, pero se duerme más (al principio)

Durante mi primer mes como madre fui una zombi. De día, andaba como pasmada porque la noche se me iba en darle pecho una y otra vez a David en el sillón, sin saber si había acabado ya o no, si estaba dormido, si debía despertarlo, si se iba a hacer caca... Me recuerdo cabeceando y despertándome a cada rato sobresaltada, en el silencio de la noche, con la boca abierta, la baba caída y mi pequeñín en brazos.

Todo empezó a mejorar el día en el que, agotada, en vez de levantarme y llevármelo al salón para darle de comer en la noche, decidí meterlo conmigo en la cama. Fue como un milagro. De repente, empecé a dormir. Porque él, acurrucado conmigo, mamaba y se dormía enseguida, y no se despertaba tanto. Y cuando lo hacía, yo, con el piloto automático puesto, me lo acercaba al pecho, él se enganchaba, y nos volvíamos a dormir los dos casi inmediatamente. A la mañana siguiente, ni me acordaba de cuántas veces se había despertado o mamado esa noche.

En esto del sueño, los padres suelen acabar haciendo lo que les dicta el instinto o la necesidad de supervivencia. Y es que a veces dormir es cuestión de vida o muerte. Conozco padres que han dejado a sus bebés en una cuna en su propio cuarto desde el primer día o a los tres meses. Y conozco a otros que, sin ser en absoluto radicales, sino porque así han ido sucediendo las cosas, acaban durmiendo con su hijo hasta que éste tiene cinco o seis años, bien toda la noche o parte de ella porque se les cuela un pequeño polizón en la cama. Es uno de los asuntos en los que más claro está que cada familia es un mundo, y lo que a unos ni se les pasaría por la cabeza a otros les parece lo mejor.

Durante los primeros meses con nuestros tres hijos, a nosotros nos funcionó tener un moisés o la cuna al lado de la cama, acostarlos ahí al principio de la noche (con mejores o peores resultados) y, luego, cuando se despertaban, pasarlos a nuestra cama con nosotros. Por supuesto, dormir juntos dos adultos, un bebé y un cojín gigante que hacía de barrera es una pequeña multitud; y, además, aunque duermas, estás en un estado de alerta constante para que el bebé no se caiga y para no aplastarlo. Pero, considerando los pros y los contras, en nuestro caso éste sistema fue la clave para que los primeros meses se me hicieran llevaderos.

Esto que se ha hecho de forma natural durante siglos tiene, como todo ahora, su nombre fino: *colecho*. Para practicarlo, hay que tener en cuenta algunas recomendaciones de seguridad, que son más bien de sentido común: no fumar, no acostarse con el bebé si los adultos están bajo los efectos del alcohol, las drogas o los medicamentos (supongo que por el riesgo de caer en un sueño demasiado profundo y aplastarlo) o si son muy obesos; y dormir en superficies firmes y sin rendijas donde pueda quedar atrapado (no valen camas de agua, sofás o sillones).

Algunos estudios relacionan el colecho con un mayor riesgo de síndrome de muerte súbita del lactante —la muerte repentina e inesperada de un niño menor de un año aparentemente sano sin que se halle otra causa—, aunque no son concluyentes. En cambio, un artículo de revisión exhaustiva publicado por varios expertos en lactancia materna en la revista *Pediatría de Atención Primaria* sostiene que el colecho, bien practicado, no aumenta el riesgo de muerte súbita del lactante y favorece el amamantamiento.

¿Y dónde se coloca al pequeño inquilino de nuestro lecho conyugal? La idea es que esté al lado de la madre, para que pueda acceder a su barra libre de teta en cualquier momento y también porque ésta, instintivamente, duerme desde el principio en alerta, cosa que no sucede con el padre hasta pasado un tiempo. Yo, al comienzo, ponía al Amigo Cojín entre Eduardo y el bebé de turno cuando le tocaba dormir en el lado de dentro al cambiar de pecho. Aunque pronto ya no hizo falta, porque cuando te acostumbras a su presencia, aprendes a dormir sin moverte.

Tres son multitud, y se duerme fatal (de más mayorcitos)
Durante los primeros meses durmiendo juntos, suele reinar la paz en la cama. Ustedes aprenden a dormir sin moverse para no aplastar o molestar al pequeñín. Y él no se mueve porque... todavía no se mueve. Pero llega un momento en el que empieza a hacerlo. Ahí es cuando se acaba la paz, y la cama se convierte en un ring de combate en el que sólo uno da puñetazos y patadas, y los demás se limitan a recibir.

En casa, esa edad fatídica llegó pasados los siete meses, cuando ya se daban la vuelta solos, por lo que, además, corrían el riesgo de caerse del Titanic. Así que, cuando se despertaban, los metía en la cama, pero en cuanto se dormían de nuevo los devolvía a la cuna. David y Natalia, que dejaron de mamar por la noche antes que Elisa, se dejaban hacer, pero Elisa tenía muy desarrollado el síndrome de la cuna con puntas y seguía enganchada a la teta nocturna; por eso durmió con nosotros parte de la noche hasta casi los dos años.

Pasado el año, la balanza se empezó a inclinar más hacia los contras del colecho: al tener la teta cerca, se despertaba más a menudo para tomarse un sorbito. No sólo nos daba codazos y patadas, sino que, cuando tenía calor, pataleaba hasta que conseguía destaparnos a los tres, y luego no había forma de taparnos de nuevo, porque notaba la sábana encima y volvía a patalear. Se movía tanto que a veces acababa atravesada en la cama entre nosotros, como el palo horizontal de la *H*, o boca abajo, con lo cual las patadas las recibíamos en toda la cara.

Aunque, quitando estos pequeños inconvenientes, en la práctica seguía siendo lo mismo que cuando era más bebé, de alguna forma, la cosa había cambiado. Se despertaba, se enganchaba y mamaba mientras yo seguía durmiendo, pero esos despertares ya no me resultaban tan cómodos; no sé cómo explicarlo, pero tenía la sensación de que me interrumpían más el sueño. Además, pasaba por noches de alta demanda en las que, de repente, en lugar de dos o tres veces, se despertaba hasta en siete u ocho ocasiones.

A pesar de que muchos expertos coinciden en que el sueño es un proceso evolutivo y en que los despertares nocturnos a esa edad son frecuentes, tomen el pecho o no, mi experiencia ha sido que los despertares han ido muy unidos a la lactancia y que, después de destetar de noche, mis niños han dormido más seguido. Creo que tener el pecho tan a mano, olerlo, hace que se despierten para tomar un poquito y asegurarse de que sigue ahí. He oído de niños de esa edad que se despiertan de noche para tomar un biberón, pero ¿siete u ocho veces?

Independientemente de los despertares y la incomodidad, dormir con mi niña tanto tiempo también ha supuesto muchos momentos de ternura, como notarla cerca y darle un beso en medio de la noche, o que te dé un abrazo al abrir los ojos por la mañana y se ponga a parlotear. Ahora que ya duerme en otro cuarto con sus hermanos, se suele despertar antes de la hora de levantarse y viene corriendo a meterse en nuestra cama. Un pequeño momento de felicidad.

Paseo arriba, paseo abajo

Un código universal entre los padres de niños hasta el año y pico es el de pasear arriba y abajo, normalmente en un espacio limitado, empujando una carriola. Una variante es estar parado en un sitio, y empujar el cochecito hacia delante y hacia atrás a un ritmo constante.

Los demás padres te miran y saludan con la cabeza desde lejos. Saben que significa: «Chissssssst, estoy intentando dormirlo». Quiere decir que no te puedes acercar a charlar y también que debes impedir que tus hijos lo hagan, y, sobre todo, que no debes establecer contacto visual con el niño objeto del paseo o del meneo, so pena de odio eterno por parte de su progenitor.

Porque si lo miras y te devuelve la mirada, lo reactivas, da igual el tiempo que llevara el pobre padre o la pobre madre empujando esa carriola por el camino más silencioso de la urbanización o por la acera delante del restaurante mientras los demás comen. Cuando se ha reactivado, tiene que volver a empezar.

Algunas familias, para impedir esto, cuelgan de la capota de la carriola una manta, cual cortina, de forma que parece que pasean un fantasma. Si te sirve, adelante, mejor fantasma dormido que precioso bebé despierto y pasado de rosca.

La mano que mece la carriola vacía

Si alguna vez vas al súper y te encuentras una madre o un padre empujando una carriola vacía hacia delante y hacia atrás mientras espera en la cola del pescado, no te asustes. No está perturbado. O puede que sí, pero busca otros síntomas.

Lo de la carriola es de lo más normal, conozco un montón de madres a las que les ha pasado. Es un tic que se te queda después de intentar dormir o calmar al bebé a base de empujones de carriola durante meses. Llega un momento en el que automáticamente, siempre que te paras en un sitio en el que quieres que el niño esté tranquilo, empiezas a menear la carriola para que no proteste.

Y resulta que has dejado al bebé en la guardería y que llevas la carriola para recogerlo. Pasas antes por el súper y la meces sin querer. O lo que es peor, ni siquiera llevas el cochecito y, de repente, te das cuenta de que estás meciendo el carrito del supermercado. No te preocupes, se pasa al cabo de unos meses.

Niños pasados de rosca

El sueño suele estar en el *top ten* de las preocupaciones paternas, y es que pronto compruebas que es una de las cosas que más pueden desestabilizar a los bebés y a los niños, yo diría que hasta los cuatro años. Y, claro, hijo desestabilizado, padres desestabilizados.

Con David aprendí, después de bastantes días de llanto sin saber el motivo, que los bebés pequeñitos pueden llorar de sueño. Estaba cansado, quería dormir, pero no lo conseguía solo y lloraba. Probaba de todo, pero lo único que el pobre quería era que me quedara quieta para dormirse tranquilo.

Si no tienes niños todavía y conoces a padres con hijos pequeños, puede que te parezcan unos talibanes con el tema de los horarios y el sueño. «Tenemos que volver porque es su hora de la siesta», «No puedes venir a esa hora porque se acuesta a las nueve»... «Esas son frases de padres retrógrados», pensarás. Yo también lo pensaba.

Cambiarías de idea si te dejaran diez minutos con ese niño pasado de rosca, es decir, sobreexcitado porque se le ha pasado la hora de dormir. ¿Recuerdas a los *gremlins*, esos bichos adorables que se convertían en monstruos destructivos si comían pasada la medianoche? Pues algo así.

Y, con la edad, su capacidad destructiva aumenta. Un bebé de pocos meses sólo tiene el superpoder de llorar y llorar hasta que consigue dormirse, aunque es suficiente como para poner a cualquier adulto de nervios. Un bebé de uno o dos años, o incluso un niño de tres o cuatro, pasado de rosca llorará, pero también se tirará por los suelos en plena rabieta por la cosa más inesperada, se negará a comer aunque tenga hambre, lanzará cosas, no dejará que le cambies de pañal o de ropa, se resistirá a dormir aunque esté agotado... Y, una vez dormido, es probable que descanse fatal y que se despierte varias veces, de ser posible, dando gritos aterrados y al mismo tiempo aterradores para el que los escucha en medio de la noche.

Una fase complicada llega cuando, hacia los tres años, los niños empiezan el kinder, porque les suelen quitar la siesta y todavía la necesitan. Y cuando llegan a casa, ya no los dejamos dormir porque es muy tarde y tememos que no se duerman por la noche. Hasta hace poco sufrimos las tardes de mal humor de Natalia por falta de siesta, y te aseguro que un *gremlin* huiría de su lado.

Destete nocturno: lágrimas y paciencia

Como ya conté antes, la única forma de que Elisa durmiera más seguido fue destetarla de noche. Es un proceso duro, en el que se mezclan la pena, el cansancio, el sentimiento de culpa y, a veces, las presiones externas. Por eso, es muy importante que la madre esté convencida de ello, porque, los primeros días sobre todo, después de tantos meses dándole el pecho al irse a dormir y despertarse por la noche, es difícil no recurrir al método que ya sabes que funciona, y más con el bebé llorando.

Con David y Natalia no tuvimos que hacer un destete como tal, porque ellos mismos dejaron de pedir las tomas nocturnas y empezaron a dormir más seguido desde los siete u ocho meses. Pero con Elisa tuvimos que aplicar el tratamiento de choque.

Empezamos cuando tenía 23 meses y después de unas noches en las que se había despertado muchas veces. Desde días antes, le venía diciendo que, cuando el sol se fuera a dormir y salieran las estrellas, las *nai* también se tenían que ir a dormir. La primera vez, le dije que podía tomar un poquito de cada una y darles las buenas noches. Ella dijo que sí toda convencida, pero al rato me volvió a pedir, y, cuando le dije que no, se puso a llorar, pero al final se durmió en mis brazos. Estaba en nuestra cama, y se despertaba casi cada hora y pedía más pecho. Cuando le decía que no, lloraba, pero se volvía a dormir relativamente rápido, mientras yo le daba besos y abrazos, y le cantaba.

A partir de ahí, cada noche era más o menos lo mismo: intentaba darle un poquito de teta, cantarle, que ella diera las buenas noches y luego que se durmiera en mis brazos, sin pecho. Algunas veces se enfadaba, otras charlaba y jugaba, pero, poco a poco, fue asimilando la idea. De noche se despertaba en un par de ocasiones y protestaba un poco cuando le decía que no, pero se volvía a dormir. A partir del quinto día, empezó a dormir algunas noches de forma continua, aunque hay otras en las que se sigue despertando dos o tres veces.

Otros métodos para intentar el destete nocturno son negociar con el niño una sustitución del pecho, cambiándolo por algo que le guste mucho y le relaje (un masaje, una nana, acariciarle el pelo, cogerle la manita); o el llamado *plan Padre*: que el padre duerma a su lado para que no huela tanto el pecho de la madre y que sea él quien intente dormirle si se despierta, aunque si no lo consigue, se lo pasará a ella. En cualquier caso, necesitarán paciencia y ánimo.

Desterrado a su habitación

Algunos bebés duermen desde el principio en su propio cuarto, pero lo normal es que lo hagan en el dormitorio de sus padres, en un moisés, en la cuna o en la cama grande, y cuando lleguen a cierta edad, que se los destierre a otra habitación. Cuando eran más pequeños, para nosotros resultaba más cómodo tenerlos al lado para atenderlos por la noche, y porque nos gustaba sentirlos cerca.

¿Cuándo es el mejor momento para el destierro? No hay una edad fija. Nosotros hemos practicado dos modalidades: David se fue a los once meses. La verdad es que ni se enteró, porque le llevábamos en brazos y le acostábamos en la cuna con la luz apagada, y se dormía solo y de forma seguida, así que lo mismo le daba dormirse a oscuras en nuestro cuarto que en el suyo.

Natalia y Elisa, sin embargo, durmieron en nuestro cuarto hasta mucho más mayores, Natalia hasta los 23 meses y Elisa hasta los 24. De modo que se enteraron perfectamente del cambio. Una advertencia: a esa edad, aunque les apetezca, hacerlos dormir en su propio cuarto ya no es un trámite tan pacífico. Puede que las primeras noches protesten o, al revés, que se muestren demasiado excitados y acaben pasándose de rosca.

Para convencer a Natalia, contábamos con un arma poderosa: se iba a dormir no sólo a su propio cuarto de niña mayor, sino que iba a hacerlo con su hermano en la nueva litera que les compramos. También nos quedaba bien porque David, con casi tres años y medio, llevaba varios meses diciendo que no quería dormir solo. Hice un registro de la primera noche:

21.15 h: Contamos un cuento los cuatro juntos en la cama de abajo. Todo es alegría y felicidad.

21.30 h: David se sube a la litera de arriba. Natalia se tumba en su cama de niña mayor. Con el cambio, se le olvida pedir teta, así que les damos agua, un beso de buenas noches a cada uno y salimos.

21.31 h: «¡Nataaaaaaaaaaaaa!». «¡Aviiiiiiiiiiiiiiz!» Se empiezan a gritar el uno al otro y a morirse de la risa. Sonreímos. Parece que se han tomado en serio lo de que ahora que están juntos pueden charlar.

21.33 h: «¡Nata, no se baja de la cama!». Esto empieza a sonar más preocupante. Con el saco de dormir y todo, ahí está, paseándose a oscuras por el cuarto.

21.37 h: «Papáaaaaaa, Nata se bajó de la cama». Otra vez a acostarla.

21.41 h: «¡Nata, no se baja de la cama!». ¿De nuevo? Empezamos a repetir la conversación. El tono de papá se vuelve más serio.

21.53 h: David, desde arriba, nos avisa cada vez que Natalia se baja. Ya van unas siete veces. Papá se enfada más y más. Natalia también. Ahora llora del enojo. «Nata, hay que dormir, no hay que llorar», dice David. Debe de estar arrepintiéndose de sus peticiones de dormir acompañado.

21.57 h: Silencio. Pasos. Se ha vuelto a bajar. Papá entra. Natalia llora. David calla.

22.04 h: A un ritmo de una vez por minuto, Natalia se baja y se acerca a la puerta. Está como una moto. Alterna risa y llanto.

Papá entra y la reacuesta. David dice: «Papaaaá, Nata no me deja dormir».

22.15 h: No resisto más y entro. Le doy teta a Natalia y charla a David, que también se ha puesto como una moto con tanto trajín. Después, intento acostarla. Vuelta al bucle de las 21.41 h. Alterno seriedad, bronca, soborno, mimos, razonamientos. Nada. Cada vez que la acuesto, se baja de la cama y se arrastra hasta la puerta con el saco, cual Rambo. David, encima, le da consejos desde arriba: «Nata, empuja la puerta».

23.33 h: Están agotados. Al fin, después de otro rato de teta, Natalia se duerme. David casi casi. Salgo sigilosamente.

La segunda noche, tardaron dieciocho minutos menos en caer fritos. Y la tercera, una hora. Aunque cuando se callaron y entramos a verlos, Natalia se había quedado dormida en el suelo junto a la puerta... Por suerte, en pocos días se acostumbraron a la nueva situación y ya no hizo falta aplacar a Natalia porque dejó de levantarse. Ahora, dos años después, hemos repetido el proceso con Elisa y a veces todavía vivimos noches similares, en las que alterna escapadas al salón, protestas y llanto al interceptarla, peticiones de agua y juerga con los hermanos.

Cansa un poco, sobre todo porque estás deseando sentarte un rato después de un largo día, pero lo peor, sin duda, es cuando Elisa se levanta sigilosamente cuando ya llevan un rato callados los tres, y te la encuentras, de improviso, en medio del pasillo a oscuras o asomando la cabecita por la cocina. Doy tales respingos, a veces con grito incluido, como si estuviera viendo una peli de terror. Y voy por la casa mirando de reojo a todos lados, para que no me vuelva a sorprender.

El campamento nocturno
Como debiste de deducir, David, Natalia y Elisa comparten cuarto. Fue una decisión consciente, porque en casa hay un dormitorio más, así que uno de los tres podría haber tenido un cuar-

to propio. Nos hacía ilusión que David y Natalia durmieran juntos. Y cuando llegó Elisa, aunque sabíamos que sería un poco caótico, nos daba pena que se lo perdiera.

De noche, el cuarto de los niños es como un campamento. Nos estuvimos planteando poner una cama de las que quedan plegadas contra la pared, pero, al final, se nos echó el tiempo encima y nuestra solución de urgencia ha sido la mejor. Colocamos un colchón viejo, que de día está de pie en nuestro cuarto, pegado a la litera. Por el otro lado, tiramos varios cojines por si Elisa se cae. Cada noche, se ha convertido en un ritual, después de lavarse los dientes, nos ayudan a empujar el colchón hasta su cuarto y a llevar los cojines del salón.

Ventajas: la complicidad entre los tres. Cantan, juegan y, si te pones tras la puerta, escuchas conversaciones divertidísimas en la oscuridad. Elisa todavía es un poco pequeña, pero David y Natalia han tenido debates de enjundia como quién viene antes, si Papá Noel o los Reyes Magos, si los dragones comen niños, o si Yoda se apellida Skywalker.

Desventajas: cuando se acaba el rato de complicidad, como uno no quiera dormir (normalmente las niñas), no duerme ninguno. Las canciones y las conversaciones a tres se convierten en que una canta o las dos dicen tonterías, cada vez más alto, mientras David se enfada y grita: «¡Cállate! ¡Déjame dormir!». Y al rato: «¡Papáaaaaaaaaaaaaaaaaaaaaaaaaaaaaa, mamáaaaaaaaaaaaaaaaaaaaaaaaa, Elisa y Natalia no me dejan dormir!».

El otro inconveniente es que, si uno pide agua, los otros dos, inmediatamente, también quieren. Sólo un padre sabe el terror que producen las palabras «quiero agua» pronunciadas a su espalda, cuando ha apagado la luz, emparejado la puerta y se dirige a su hora feliz. Pues imagínatelo multiplicado por tres.

Supongo que cuando sean mayores tendremos que cambiar esta organización, pero, de momento, y pese a las desventajas, nos gusta que duerman juntos. De alguna forma, milagrosamente, siempre acaban dormidos. Y aunque parezca extraño, cuando uno se despierta en mitad de la noche, aunque llore, grite o vomite, los otros dos siguen durmiendo.

Cocó y los peluches amigos

En el apartado «Introducción», tendría que haber incluido a *Cocó*, porque es un personaje fundamental en esta casa. Es tan importante que, durante una época, Eduardo y yo hubiéramos preferido el divorcio a que faltara *Cocó*. ¿Y quién es el susodicho *Cocó*? Pues el perrito de peluche de David, su *objeto de apego*, como dirían los entendidos. El talismán con el que todavía ahora, a los seis años, duerme todas las noches.

Cocó llegó a casa cuando David tenía unos dos meses y era casi tan grande como él. Al principio, lucía un bonito tono marrón dorado. Ahora, tras más de 2 mil 100 noches de sobarlo, múltiples lavados y varios remiendos, es de un beige grisáceo indefinido. Tiene un relleno como de bolitas. Su nombre es muy simple, significa *perrito* en chino.

Los primeros meses, estaba simplemente al lado de David en la cuna. Pero, creo que coincidiendo con la *estivillización*, se hicieron inseparables. Tanto que cuando empezó la guardería, a los ocho meses, se lo llevaba con él, como otros niños hacían con el chupón. Y también, cual chupón, se metía entera en la boca una de las patas delanteras y la succionaba para dormir. Acababa tan empapada que olía fatal...

David tenía tal apego a *Cocó* que temblábamos sólo con pensar en que se nos perdiera. Pero cuando fuimos a la misma tienda a comprar uno de repuesto, ya no había más. Así que lo cuidamos como oro molido y aún nos dura. Ahora duerme abrazado a él, aunque ya no lo necesita tanto, y de día juega con él y le habla. Me va a dar mucha pena cuando al final lo deje, aunque siempre lo podemos guardar para hacerle pasar vergüenza cuando traiga a su primera pareja a casa...

Pero esto de los objetos de apego no es algo automático. Hay niños que los tienen y niños que no, por más que uno se empeñe.

A Natalia le compramos una vaquita que le pusimos en la cuna desde el primer día, y a Elisa un conejito, y ambas los han ignorado soberanamente a la hora de dormir. Y eso que durante un tiempo me paseé por la casa con ellos metidos en el sujetador, porque dice la teoría que, si tienen el olorcillo materno, los bebés se consolarán con ellos cuando la madre no esté. Como si los bebés fueran tontos...

Hubo una época en la que Natalia, por imitación del hermano y su *Cocó*, se quería llevar a todos los viajes a *Vaca*, pero también a *Oso* y a la sirenita Ariel, así que cargábamos con tres muñecos (por suerte no muy grandes) a los que luego no hacía ni caso. Elisa directamente es infiel y cada noche pide dormir con un peluche o muñeco distinto.

Por lo menos ninguno de ellos se ha apegado a un trapo roñoso, como me pasó a mí de pequeña. Mi madre todavía me recuerda cómo en el vuelo que nos trajo de Taiwán a España, cuando yo tenía cuatro años, agarraba un poco mi *manta rota (puo bei)*, nombre que le dábamos al retal que llevaba a todas partes y que mi madre guardaba en su bolso porque me daba vergüenza que lo viera alguien más. No sé qué habrá sido de él, pero me temo lo peor.

10
ASPECTO FÍSICO Y CUIDADO PERSONAL

«¿Tengo canas? Bueno, ya me teñiré. ¿Tengo pelos? Ya me depilaré. ¿Rompo los calcetines porque debería cortarme las uñas? Bueno, eso sí. Voy a cortármelas...»

MÓNICA, madre de Aina, de seis años,
y de Jaume, de tres

Reconozcámoslo, la maternidad afecta al aspecto físico. No sólo se engorda, sino que los pechos se caen y salen estrías o varices —no me odies, pero, ya sea por suerte o por mis genes orientales, yo me he librado de estas dos últimas—. Además, durante los primeros meses, incluso años, solemos caer en cierto descuido. La falta de sueño y de tiempo hacen estragos, pero también nos damos cuenta de que, por lo menos temporalmente, es más práctico —y seguro— renunciar a algunas cosas, como los pendientes largos, las uñas pintadas o los bolsos de diseño.

El embarazo engorda

El embarazo engorda, eso es una obviedad. Pero crees que cuando des a luz perderás milagrosamente esos kilos de más y volverás a ser tú. Primera decepción. Cuando sales del hospital, a menos que seas modelo o actriz, normalmente lo harás vestida con tus pantalones de embarazada, de los que tan harta estás. Con suerte, al cabo de unos días, te cabrá algo de tu ropa de verdad, pero de la más amplia que tengas.

Y es que la barriga todavía abulta como si estuvieras embarazada, por lo menos de cinco meses. Al volver a casa tras dar a luz a Elisa, bajé al parque con los niños mayores, y un vecino me preguntó que cuánto me quedaba de embarazo...

Después de nacer David, creí que había dado con la gangade mi vida. Durante la lactancia, empecé a adelgazar a una velocidad inusitada, incluso dedicándome a comer cosas tan dietéticas como pan mojado en mayonesa. Hasta me quedé algo más delgada que antes del embarazo. Pero ¡no te fíes, no es infalible! Cuando nació Natalia, creí que pasaría lo mismo, así que me lancé a la dieta hipercalórica, hiperproteica e hiperazucarada. ¡Sorpresa! No adelgacé. Y con Elisa tampoco.

Más de dos años después, estoy aún un par de kilos por encima de lo que pesaba antes de mi último embarazo, que son... siete kilos más de lo que pesaba antes del segundo... Y eso que cumplí con el consejo de engordar sólo un kilo por mes. Claro que recuperar la forma también depende de la fuerza de voluntad (nula), de la cantidad de sobras, plátanos y dulces que te comas (muchas) y del deporte que hagas (ejem, ¿es deporte ir de un lado para otro llevando y trayendo niños?).

Uñas al ras y sin pintar

Desde que soy madre llevo las uñas sin pintar. Y no sólo sin pintar, sino cortadas al ras. Las que son madres seguro que saben por qué. Los bebés y los niños pequeños son incompatibles con las uñas largas. Bueno, con las nuestras, porque no sé cómo lo hacen, pero, a la que te descuidas, te encuentras con un pequeño ser monísimo con unas uñas a lo Freddy Krueger y, de ser posible, llenas de roña o de plastilina, que por lo menos tiene más color.

A lo que iba, que no puedes llevar las uñas largas porque tienes tanto contacto manual con ellos que, por mucho cuidado que tengas, los arañarás: los tomas en brazos, los bañas, les haces cosquillas, los vistes, juegas con ellos, les suenas los mocos, etc.

Yo no me pintaba las uñas cuando eran bebés por miedo a que se intoxicaran. No sé los tuyos, pero mis polluelos, en la fase de dentición, se metían de todo en la boca, incluidos mis dedos, y, si no, se los metía yo para tocarles las encías. Y ahora, como mucho, me pinto las de los pies en verano, pero a escondidas. Porque, si no, enseguida tengo encima a tres retacos pidiendo: «¡Ahora a mí!». Que, sumados manos y pies, ¡son 60 uñas que pintar! Y, encima, las quieren haciendo series alternando los colores, primero azul, luego naranja, después rosa...

¿Qué pasó con mis aretes y mis tacones?

Por lo mismo que ya no llevo las uñas largas, también dejé de ponerme anillos. Como mucho, alguno pequeñito y más bien liso, sin piedras o adornos que sobresalgan. El resto de la bisutería y joyería se ha quedado por el camino por cuestiones de autodefensa: no me pongo aretes muy largos para que mis orejas no acaben con unos agujeros más grandes que los túneles del metro con un tirón de bebé curioso, o para no engancharme al pelo de alguna de las niñas, una experiencia que te acerca mucho a tu hija, pero no de la forma más recomendable.

Los collares te los puedes poner, pero hay que guardarlos en cuanto hay un niño a la vista. Alguna vez que he pecado de optimista y me he dejado puesto un bonito collar largo al volver a casa del trabajo, me ha tocado pasar la tarde de rodillas recogiendo perlitas desparramadas. También corren peligro de desgarro los suéteres si te dejas un broche puesto. Bueno, en general, corre peligro cualquier cosa que sobresalga de una prenda de ropa: no sé qué encanto tendrán los cordones de las sudaderas o los abrigos, que, siempre que ven uno, tienen que tirar de un extremo hasta sacarlo por el otro o hasta que dé de sí, si es de los elásticos. ¡Con la rabia que da eso!

Normalmente no uso tacones, así que no los echo de menos, pero varias madres que conozco que sí que los usaban me cuentan que los han tenido que guardar porque es complicado salir corriendo con ellos puestos detrás de un niño, o andar de una forma normal con el pequeño de una mano y con su mochila, el abrigo, el trabajo de manualidades, el plátano mordisqueado y las compras en la otra. Vamos, si yo cada vez que me pongo un tacón de cuatro centímetros, y sin niño, me hago un esguince...

La mancha es tu amiga

No luches contra ella. Asúmelo, la mancha es tu amiga. Tan buena que te acompañará a donde vayas. Porque se aliará con tu otra gran amiga, la prisa, para que la descubras sólo cuando estás a punto de salir de casa, con el tiempo justo, y ya no te da tiempo de cambiarte.

Cuando tienes un bebé, las manchas más habituales son de comida: leche regurgitada o puré escupido o salpicado. Pero no te preocupes, que en cuanto los niños crecen, la variedad aumenta: la comida cambia de textura y composición, y llega el gran clásico, el chocolate derretido en los dedos o las bocas pegajosas, o la paleta roja que por alguna razón acaba depositada sobre tu pantalón.

Otras manchas muy comunes son las de bolígrafo o plumón, porque, por mucho cuidado que pongas en no acabar como ellos cuando pintan, siempre te hacen algún borrón. Eso cuando no te usan directamente como lienzo: «Ven, mamá, te voy a dibujar una *eztella*», me dice Elisa con su lengüita de trapo. Y, claro, cualquiera se niega, aunque luego no sea más que una mancha en el dorso de la mano.

Pero mi favorita es sin duda la mancha de moco, porque, aunque deja un rastro, si tienes suerte y está en fase acuosa, es incolora. Lo malo es que te toque en fase amarilla o verde radiactiva. ¿Que cómo llega a ti? Del siguiente modo: pequeñín tiene mocos bajándole por la nariz. Pequeñín, que está muy entretenido jugando, se los sorbe, pero no consigue que vuelvan a su cauce. Pequeñín sigue jugando un rato, pero ya le molestan. Astuto, se acerca sigilosamente a ti y restriega su nariz contra tu pantalón o la prenda que quede a su altura. Al principio piensas: «Qué mono mi niño que viene a verme y darme un abrazo», hasta que caes en que te acaba de usar como kleenex gigante.

Cosas que se llevan en los bolsillos

Lo que siempre siempre llevo en los bolsillos son pañuelos de papel usados. En plena etapa de mocos, y si no quieres que deje marcada toda tu ropa o que se restriegue con las mangas, tienes que andar siempre pañuelo en ristre, limpiando el moco que le cae cada dos por tres. Llega un momento en el que te dejas de escrúpulos, y te lanzas al ahorro y a la reutilización y el reciclaje, porque a ese ritmo te vas a gastar el sueldo del mes en paquetitos de kleenex. Así que, a menos que sean mocos de esos que al sonarte empapan y atraviesan el papel, le haces un pliegue estratégico y te lo guardas en el bolsillo.

En nuestro caso, es más divertido porque, al tener tres, debes acordarte del bolsillo en el que has guardado los mocos de cada uno. A ver, en el izquierdo, el pañuelito de Natalia; en el derecho, el de David, y en el de atrás, el de Elisa. Y si te confundes..., tampoco pasa nada mientras no se enteren...

Otras cosas que siempre aparecen en mis bolsillos son sus pequeños tesoros: piedras, flores, estampas, dulces enteros o a medias, muñequitos, piezas de Lego, dibujos... Todo lo que, cuando estás fuera de casa, es susceptible de «toma, mamá, guárdamelo». Pero ¿qué pasa con sus bolsillos? ¿Tan difícil les resulta usarlos?

Normalmente, la idea es mantenerlos el tiempo suficiente para que se olviden de ellos y tirarlos disimuladamente, pero a veces se te olvida y los descubres días después, o al poner la lavadora. O después de ponerla...

La mochila de Dora *la Exploradora*
Muchas madres sustituyen el bolso, o la colección de bolsos, por una mochila. Al principio, es fácil llevar todo lo que necesitan los bebés y todos los *porsis* (por si acaso se mancha, por si acaso hace frío, por si acaso llora, por si acaso tiene hambre...) en una bolsa colgada de la carriola o debajo, en el cestillo. Así que puedes meter tus cosas en esa bolsa o seguir llevando tu propio bolso.

Pero cuando bajan de la carriola, descubres que tienes que llevar un montón de *porsis* y, al mismo tiempo, tomarlos de la mano. Algo poco operativo con un bolso colgado del hombro que se cae constantemente y que te tienes que recolocar. El tamaño de dicho bolso tampoco suele ser suficiente, de modo que acabas redescubriendo la mochila. Algunas madres empiezan poco a poco, con la mochilita infantil para bajar la merienda al parque, pero pronto, no lo dudes, tendrás la tuya propia.

Al principio estás entusiasmada con esa nueva libertad de manos y esa capacidad ilimitada para meter merienda, juguetes, ropa de cambio, pañales, toallitas, agua, una paleta anticrisis, un paquete de galletas que ya están hechas migas del tiempo que llevan dentro... además de todo lo que se suele llevar en los bolsillos, claro, multiplicado por 100. Así es que sólo te falta cantar «mochila, mochila», como Dora la Exploradora, cada vez que vas a sacar algo...

Pero pasan los meses, los años, y un día —coincidiendo con el que decides, al fin, lavar la mochila— te preguntas: «¿Y si agarro una bolsa?».

Yo acabo de llegar a esta fase, y ha sido traumática. Mis bolsos han pasado de moda, me parecen feos y viejos. Miro los de las tiendas con extrañeza, no recuerdo cómo me gustaban, cómo combinarlos. Y, en el fondo, los miro con los ojos de quien busca una mochila y, claro, me parecen pequeños y poco prácticos...

En realidad, creo que la fase de la mochila no es más que un entrenamiento para cuando llegue el momento en el que tendrás que ir a recoger a los niños a la salida del colegio. Porque antes de decirte «hola» y darte un beso, te encontrarás con que ya te han colocado la suya.

Se acabó leer en el baño

Ya sabemos que hay dos clases de personas en estos menesteres: las rápidas (*cacafast*), que entran, se sientan, cumplen y se van; y las lentas (*cacaslow*), que necesitan de un período de inspiración previa, que antiguamente se conseguía leyendo, aunque ahora se puede lograr mirando Facebook o jugando Candy Crush. En medio estamos los *cacaslow* con niños pequeños, forzados a acelerar y a renunciar a esos minutos de lectura pausada en un ambiente estimulante.

Y es que es muy difícil concentrarte cuando tu bebé de cero a dieciocho meses insiste en acompañarte, o con tus niños de tres a seis años abriendo la puerta o llamando cada dos minutos. A veces pongo el seguro, pero eso no los amedrenta.

La última vez que lo intenté, tuve esta estimulante conversación con Elisa a través de la puerta, mientras intentaba leer una novela negra:

POM-POM-POM.
—¿Mamá?
(Al principio, me callo como una... madre que busca su espacio, a ver si la engaño y se cree que no estoy).
POM-POM-POM. POM-POM-POM.
—Mamá, ¿*tás* ahí?
POM-POM-POM.
—Sí —suspiro de resignación—, Eli, estoy aquí.
—*Abe* la *pueta*, mami.
—No, Eli, no puedo.
—¿Y qué *hases*, mami?
—Caaaca.
POM-POM-POM.
—*Abe*, mami.
—No puedo, Eli.
—Mami, ¿por qué no *abes* la *pueta*?
—Que no, Eli...
POM-POM-POM.
—*Abe*, mami...

Y así podríamos seguir hasta el infinito. Por eso, al final, me sale mejor abrir desde el principio, dejar que se entretenga sacando todo lo del cajón (esto da lugar a otra interesante conversación sobre lo que son los tampones) y, mientras, seguir leyendo.

David y Natalia ya no se empeñan en entrar, pero sí pretenden que haga de árbitro de sus cuitas a través de la puerta:

(Llantos desde el salón).

—¡Mamáaaaaaaa!

(Grito que llega atenuado porque están en la otra punta de la casa, pero que se nota que es fuerte).

—¡Mamáaaaaaaa!

(Más fuerte todavía, lo deben de haber oído ya los vecinos de abajo).

—¡Mamáaaaaaaa!

(Este lo han oído los del portal de al lado).

—¿Quéeeeeeeeee?

(Pasos. Al fin alguien se digna a acercarse al baño).

—¡Natalia me ha pegado!

—Pues dile que no te pegue.

—¡Ya se lo he dicho!

—Pues dile que se lo digo yo.

Al rato, desde el salón:

—¡Que no me pegues! ¡Eres tonta y estúpida!

Te limpias, te pones los calzones y sales corriendo como los pingüinos, con los pantalones o las panties a medio subir, antes de que llegue la sangre al río...

Ducha exprés
Con la ducha pasa igual. La única posibilidad de darte una ducha con relativa tranquilidad es si te levantas antes que ellos o si lo haces cuando ya están dormidos. Si no, te arriesgas a las mismas conversaciones que en el caso del inodoro, con el añadido de que estás más inquieto porque oyes menos y de que, si tienes que salir corriendo, dejarás un reguero de agua por toda la casa.

Incluso si están dormidos, no estás del todo tranquilo. Cuando Elisa dormía en nuestro cuarto, y yo ya me había ido a trabajar, Eduardo tenía que ducharse con un oído avizor por miedo a que se cayera de la cama. Muchas mañanas, la nena se despertaba y empezaba a llamarle: «¡Papá, ven!», mientras él, desde la bañera, le gritaba: «Espera, ahora voy». Eso cuando no se levantaba directamente y le daba un susto de muerte al aparecer de repente en el baño.

Es tan difícil darse una buena ducha relajante y sin prisas que, cuando al fin lo consigues, te sientes como si hubieras pasado la tarde en el spa. Con qué poco nos conformamos...

La coleta

Si te fijas en las puertas de los colegios, verás que abundan mujeres con cola de caballo, raíces sin teñir, rizos sin forma... Porque una queja frecuente de las madres con niños pequeños es que ya no encuentran tiempo para peinarse. Así que se lo arreglan de cualquier manera antes de salir de casa o se hacen una coleta.

Aquí no puedo aportar mucha de mi experiencia, porque la verdad es que nunca he tardado demasiado en peinarme, con o sin niños. Tengo el pelo tan liso que poco me puedo hacer, ni rizos, ni secadora, ni espuma, sólo pasarme un peine (a veces ni eso) y ya. Piso la peluquería cada varios meses para cortarme las puntas y el flequillo, y echarme un sueñito mientras me lavan el pelo. Lo he llevado corto los meses después de cada parto porque me ponía nerviosa ver la cantidad de pelo que se me caía, y me hago a veces una coleta por comodidad o calor.

Pero entiendo a la perfección, en este contexto de tiempo menguante y prisas perpetuas, que las mujeres que antes pasaban varios minutos cada mañana con la secadora para dar forma a su pelo se vean ahora obligadas muchos días a soluciones más rápidas. O que, si iban a la peluquería una vez por semana, hayan tenido que reducir la frecuencia drásticamente.

Padres deportistas, ¿padres que huyen?

Algunos padres y algunas madres, los que antes del parto eran muy deportistas, no llegan a dejar de hacer deporte. Bueno, ellas lo hacen a lo sumo hacia el final del embarazo o durante los primeros meses que siguen al parto, hasta que se recuperan. Otros, los que no lo somos tanto, los que nos apuntamos una vez al año al gimnasio esperando adelgazar de forma milagrosa y pagamos religiosamente para lavar nuestra conciencia, descubrimos, pasados los meses más duros del principio, que no nos vendría mal practicar algo de deporte.

Por un lado, porque ser padre cansa. Sobre todo mentalmente, pero también, durante los primeros años, físicamente. Incluso hacemos levantamiento de peso, que, como en el gimnasio, vamos aumentando de forma progresiva, y pasamos de los tres kilillos del principio a los diez kilos al acabar el año.

También corremos, con ellos cuando jugamos o detrás de ellos, intentando salvarlos de innumerables peligros. Nos obligan a practicar fútbol, baloncesto, a veces volvemos a saltar la cuerda para enseñarles cómo hacerlo (y también con cierta nostalgia y alegría por tener una excusa para hacerlo de nuevo), nos volvemos a meter en la piscina cuando desde hace años ya sólo bajamos para tumbarnos al sol, desempolvamos las bicis, los patines...

Así que hacer algo más de ejercicio nos viene bien para estar en mejor forma y poder seguir su ritmo, en lugar de caer rendidos, y ¿por qué no?, para que nos vean bien. Pero también es bueno porque recuperamos un rato que sólo es para nosotros.

Algunos salen a correr o a jugar un partido de fútbol de padres por la noche, cuando los niños ya están enfilados hacia la cama. Otras descubrimos la zumba, una horita de baile con la que desquitarse de esas discotecas que ya no nos apetece pisar, pero que algo echamos de menos; o pilates, o yoga. ¿Huimos? Un poco. Pero lo importante es que volvemos, y con más energía. Es, como diría un ministro de Economía o un presidente del Gobierno cualquiera, el principio de la recuperación.

11
TU NUEVO CARÁCTER

«Me sorprendí el día en que Daniel, con tres años y diez meses, me dijo que yo era una gruñona y siempre le reñía. Nunca pensé que tuviera esa imagen de mí.»

ISABEL, madre de Daniel, de cuatro años,
y de Sara, de dos

Nuevas responsabilidades, nuevos miedos

En una ocasión leí que ser madre, o padre, es vivir con miedo. Y es verdad. Porque, aparte de la alegría, el amor, la felicidad y todo lo que se dice cuando estás con la baba caída, aparte del cansancio, el estrés, el mal humor y los «los mataría» que piensas cuando se ponen insoportables, desde que nace tu primer hijo, descubres a tu alrededor infinitos motivos para tener miedo.

Ahora eres responsable de alguien, que a su vez es completamente irresponsable. Es como el videojuego de los *lemmings*, unos bichillos tontos que siempre caminan hacia delante haya suelo, agua, lava o un precipicio, y a los que tienes que intentar ayudar y dirigir hacia el camino correcto sin parar ni un minuto.

Al principio, son miedos más físicos, de mera supervivencia: miedo a que pase hambre, a que no crezca bien, a que se enferme, a que no duerma lo suficiente... Pero enseguida se entreveran los miedos psicológicos y los que afectan a tu propia capacidad: el miedo a hacerlo mal, a fallar...

Y esto no mejora con la edad, al contrario, porque siempre surgen nuevos peligros y retos. Puede que ya no tengas miedo a que pase hambre, pero entonces tienes miedo a que se atragante o a que meta los dedos en el enchufe. Ya no te agobian los mocos y la fiebre, pero tienes miedo a que salga corriendo y lo atropelle un coche, a que no le vaya bien en los estudios, a que no tenga suficientes amigos... Tienes miedo a ser demasiado estricto o a ser demasiado blando, en fin, a no estar educándolo bien.

¡Uf! Y cuando miras hacia delante, hacia la adolescencia, y

recuerdas las locuras que tú mismo hiciste, ya no es miedo lo que sientes, sino pánico. Sexo, drogas y rock'n'roll, vicio y perversión, borracheras y juergas nocturnas... ¿Cómo conseguimos sobrevivir? ¿Y cómo lo hicieron nuestros padres? ¡Socorro!

Culpable de todo

Y, claro, con tantos miedos, es fácil sentirse culpable. Bueno, es fácil para las madres, que enseguida nos flagelamos. Se ha hecho caca: «Es culpa mía, por no haberle puesto en el orinal a tiempo». No se come el puré: «Es culpa mía, por haberle echado ejotes en vez de calabacín, y así no le gusta». Se ha caído: «Es culpa mía, por haberle dejado correr».

Y así con todo. Si trabajo fuera, porque no paso suficiente tiempo en casa con ellos. Si estoy en casa con ellos, porque no aporto dinero al hogar. Si va a la guardería, porque va a la guardería. Si se queda en casa, porque no socializa en la guardería...

No es sólo una impresión, algunos estudios científicos confirman que las mujeres nos sentimos culpables más a menudo y con mayor intensidad que los hombres. La razón es una mezcla de mayor empatía e inseguridad, muchas veces por la educación que hemos recibido, que hace que sintamos más ansiedad y que contengamos más la agresividad. Lo malo es que acabamos volcando esa agresividad sobre nosotras mismas.*

Si ya nos pasaba antes, cuando nos convertimos en madres, este sentimiento se multiplica exponencialmente y puede llegar a angustiarnos sobremanera. Así que a relajarse y a relativizar. Y sin sentirnos culpables por ello.

Más relatividad que Einstein

Relativizar es, según el diccionario de la RAE (Real Academia Española), «introducir en la consideración de un asunto aspectos

---

*Véase Itziar Etxebarría, <www.agenciasinc.es/Noticias/Los-hombres-sienten-menos-la-culpa>.

que atenúan su importancia». Apréndetelo bien, porque es una de las tácticas de supervivencia más importantes de los padres. Sobre todo si eres un maniático del orden o de la limpieza, te echas la culpa y te flagelas regularmente por todo o te crees las escenas de familias felices de las revistas.

Para enseñaros cómo funciona, recuperemos los ejemplos anteriores:

SE HA HECHO CACA. No pasa nada, ya lo limpiaré. Total, había que poner hoy la lavadora... ¿Que estás en un autobús atestado y a media hora de trayecto de casa? No pasa nada, así la gente nos deja más espacio alrededor. ¿Que empieza a rezumar? No pasa nada, ahora lo limpio con la toallita. Esto va a ser una experiencia divertida para contar en mi blog o para subir a Facebook o Twitter.

NO SE COME EL PURÉ. No pasa nada, ya comerá cuando tenga hambre. Nadie se queda desnutrido teniendo comida.

SE HA CAÍDO. No pasa nada, así forja el carácter. ¿Que se ha roto la pierna? No pasa nada, a todos los niños les gusta llevar yeso y que les pinten en él. ¡Lo que hubiera dado yo de pequeña por llevar una!

Como ves, la clave es ahogar con un «no pasa nada» cualquier otra reacción que pueda surgir. Muchas veces está muy bien añadir un «es que es sólo un niño». Se puede aplicar en pequeños accidentes domésticos, como cuando derraman agua, rompen un vaso o pintan las paredes. También en situaciones embarazosas, como cuando Natalia le dijo «testículo» a la camarera de un restaurante, o en graves conflictos, como cuando se están jalando el uno al otro del pelo y llorando a grito pelado. «No pasa nada». Tampoco viene mal un «Ommmmmmmmmmmmmmmmmmmm» después, acompañado con un té de tila, o una copa.

A veces caigo en el lado oscuro

Pero hay veces en las que después de decir «no pasa nada», en lugar de la sonrisa beatífica y el «es que es un niño», te sale un «¡sí que pasa! Pero ¿será posible?», seguido de todo tipo de improperios y/o gritos. Es lo que yo llamo *caer en el lado oscuro*.

Porque, cuando tienes hijos, descubres que eres capaz de lo mejor. Pero también descubres con horror que eres capaz de enfadarte hasta perder el control y de gritar como esa vecina que creías que estaba medio loca cuando la oías a través de tu puerta, del descanso y de su puerta. Como *la* Manola, la vecina de María en Sevilla, que suelta a sus hijos frases tan educativas como: «¡Te voy a chocar la cabeza contra la pared!». Llegas a comprender a los padres que les dan una regañiza a sus hijos, porque, aunque nunca lo hayas hecho, a veces te tienes que contener para no hacerlo.

Descubres que, como advertía el maestro Yoda, eres capaz de caer en el lado oscuro de la fuerza: «La fortaleza de un jedi fluye de la fuerza. Pero cuidado con el lado oscuro: ira, temor, agresión, de la fuerza del lado oscuro son. Fácil fluyen rápidos a unirse en el combate. Si una vez tomas el sendero del lado oscuro, para siempre dominará tu destino. Te consumirá, al igual que lo hizo con el aprendiz de Obi-Wan».

Para llegar a la fase de los gritos descontrolados, hay todo un camino de aprendizaje del mal. Diría que empieza cuando, poco a poco, te conviertes en un castigador. Cuando la realidad te pone en tu sitio, y te das cuenta de que en lugar de ser una madre paciente, con buen humor, capaz de crear un clima de diálogo con tus hijos y de pasar horas jugando con ellos (estoy describiendo a mi amiga Eva), te pasas algunos días enteros enfadada, dando órdenes y logrando que hagan cosas a base de amenazas.

—Natalia, a la ducha.
(Tono normal).
(Silencio. Sigue jugando en su cuarto).

—Natalia, a la ducha.

(Tono un poco más alto).

—Espera, mamá, que no he terminado.

—Natalia, te he dicho que a la ducha.

(Tono que empieza a ser complicado).

—¡Que todavía no he terminado!

(Tono entre lloroso y enfadado).

—¡Me da igual! ¡O vienes ahora mismo a la ducha o no ves la tele luego! Empiezo a contar: uno, dos...

—¡Jope!

(Llorando y con boca de pato enfadado).

Y así una y otra vez para cada cosa: la pijama, recoger los juguetes, poner la mesa, lavarse los dientes... Es agotador.

Esto comienza hacia los dos o tres años, cuando empiezas a apreciar intencionalidad en sus actos. Antes, te puede fastidiar que tiren o rompan cosas, que lloren, que se enfaden, pero comprendes que son bebés y que, por decirlo de alguna forma, no dan para más.

Pero cuando comienzan a hablar y a entender, a veces, simplemente, te olvidas de que siguen siendo niños, y muy pequeños, y pretendes que razonen igual que tú. Y, claro, cuando no lo hacen, cuando no ven la necesidad de ducharse porque se lo están pasando excelente jugando, cuando no entienden que hay que irse del parque, cuando se empeñan en echar el agua de la botella al vaso porque se ven capaces, interpretas, dentro de ti, que te están desafiando, tomando el pelo, que te desobedecen a propósito.

He leído, consultado con psicólogas y escrito sobre el tema. Y la teoría me la sé. Hay muchas causas por las que los niños nos sacan de quicio: el cansancio; la presión de los demás, que nos miran y nos hacen sentir juzgados; el miedo a que si no hacen lo que queremos que hagan serán desordenados, desobedientes o guarros toda su vida; la implicación emocional, y, aunque no nos deje en muy buen lugar, a veces perdemos los nervios con ellos simplemente porque podemos: los gritos que no le podemos dar al jefe se los damos a los niños.

La solución está en rebajar las expectativas, asumir que son niños y que, por mucho que nos empeñemos, harán cosas de niños y a ritmo de niños. También en intentar movilizarlos con soluciones imaginativas (funciona bien darles un par de opciones para que parezca que pueden elegir). En eso estoy, en la búsqueda de la maternidad-zen.

Esas frases que nunca creíste que dirías

Cuando tienes hijos, tarde o temprano, acabas comiéndote todas esas palabras que dijiste sobre no ser como tus padres. Porque te vuelves como ellos. Te das cuenta el día en el que tu hijo intenta esquivarte, mientras le persigues con tu dedo mojado en saliva para limpiarle una mancha de la cara. «¡Qué asco, mamá, es baba!» Y recuerdas lo mal que te caía a ti. Pero ya es tarde.

Esta transformación en tus padres se nota mucho en la forma de hablar. De repente, empiezas a soltar profecías autocumplidas como: «Te vas a caer. ¿Ves? Te caíste». O a inventarte terribles consecuencias para la que no come: «Si no te lo acabas, te vas a quedar chica». Bueno, en realidad, esta frase comodín la usa Eduardo en broma para cualquier cosa.

Una de las frases más obvias y repetidas es: «Abrígate, que hace frío». Cuando rehúsan, ningún padre sabe por qué, pero sigue funcionando el «Empiezo a contar hasta tres. Uno, dos...». Incluso he visto aplicar con éxito la cuenta atrás a mi cuñada con mis sobrinos adolescentes. ¿Qué creerán que ocurrirá si llegas hasta tres? ¿Se desatará la tercera guerra mundial? Ah, no, eso era en *Juegos de guerra*, y son muy jóvenes para saber de qué iba. Quizá piensen que se caerá Twitter o que morirá un gatito.

En la época prenavideña, hace furor el «los Reyes Magos te están observando». Y alguna vez me he descubierto diciendo: «No te tragues el chicle, que se te van a pegar las tripas». Muchas frases de este tipo aparecen recogidas en un libro divertidísimo, *Cómo no ser una drama mamá*, en el que la periodista Amaya Ascunce recopila las que le decía su madre. En su *top ten* están el «tómate rápido el jugo, que se le van las vitaminas» y el «como vaya yo, verás».

En mi casa, era más mi padre el que decía frases de este tipo. Algunas de las que se me han quedado grabadas son: «No puedes ir a la granja escuela porque hay lobos», «Si lees con tan poca luz, te vas a quedar ciega». Y: «No se acerquen tanto a la tele, que se van a quedar estériles». No sé si muchos niños fueron devorados por lobos en la granja escuela, pero, pese a no hacerle caso, ni siquiera llevo gafas y, desde luego, con tres niños en menos de cuatro años, parece que problemas de fertilidad no he tenido.

Con la baba caída

Aunque desde que nace tu bebé te propones no ser un padre baboso, de esos que van diciendo «pues el mío ya hace tal», no lo puedes evitar, aunque sea interiormente. Los primeros meses, te hinchas como un pavo real cuando tu hijo se da la vuelta, se sienta o camina antes que los hijos de los vecinos o sus primos de la misma edad. Y ya no digo nada cuando hace algo antes de lo que marcan los hitos de desarrollo de las revistas.

No sacas tú el tema, pero si una vecina tiene la mala suerte de decir, inocentemente, una frase como: «Fíjate, pero si ya camina», abre la espita mortal. De aburrimiento para ella, quiero decir. «Sí, llevaba ya un mes poniéndose de pie y dando pasitos agarrado a la mesa, pero no se lanzaba. Y también iba agarrado de las manitas o sujetándose a las paredes. Y mira, ayer, de repente, empezó a dar unos pasitos...»

Ya sabes que no se debe comparar a los niños, que cada uno tiene su ritmo, pero, obviamente, el tuyo va muy adelantado para la edad que tiene. Todas esas tardes «estimulando a tu bebé» han dado sus frutos. Hasta que no ha cumplido un par de años, no asumes que da igual si se sentó a los seis o a los ocho meses o si comenzó a caminar a los doce o a los dieciocho. Porque te das cuenta de que, mes arriba mes abajo, todos acaban haciéndolo, estimules lo que estimules.

Cuando son un poco más grandes, sí que empiezan a apreciarse diferencias que tienen más que ver con las habilidades innatas de cada niño. Los hay a los que se les da muy bien cualquier deporte, que leen desde muy pronto o que hablan muy bien... Yo ahora mismo estoy orgullosísima porque David, con seis años, escala una cuerda entera hasta el techo, Natalia anda en bici sin llantitas desde los cuatro y es la más rápida de su grupo de natación, y Elisa, con dos y tres meses, se baña sola. Tendrías que ver mi cara de risa cuando el otro día, en el gimnasio, una madre presumía que su hija de cinco años se bañaba sola. ¡Cinco años!

Adiós, vergüenza, adiós
Con la llegada de los hijos, muchos padres y madres perdemos la vergüenza, en el buen sentido: hacemos cosas en público que en otras circunstancias, y sin alcohol o drogas de por medio, jamás haríamos, como cantar, bailar, correr, hacer el trenecito o tirarnos en el suelo. Nunca he sido especialmente cortada, salvo para cantar —eso que les ahorro a los que me rodean—, pero, estando David, Natalia y Elisa delante, es como si me dieran autorización para liberarme por un rato y portarme como una niña.

A ellos les hace gracia, lo que compensa el posible ridículo. Aunque también he visto padres y madres inasequibles al desaliento, bailando al ritmo de una infumable canción navideña en uno de esos horrendos espectáculos de muñecos autómatas en un centro comercial, con un bebé en brazos que no se entera de nada.

Pero llega un momento en el que esto se acaba. ¿Cuánto dura este período en el que los pequeños quieren que los sigas, los imites, bailes y juegues con ellos? ¿En el que admiran incondicionalmente a sus padres? ¿En el que no hay nada que les haga avergonzarse de ellos?

Yo lo vi muy claro hace tres años, cuando mi sobrino Sergio, que entonces tenía once, se quedó horrorizado mientras su madre cantaba y hacía la coreografía de *El arca de Noé*, una de las canciones más conocidas del CantaJuego. He de decir en su defensa que estaban David y Natalia delante. «Mami, para, que me da vergüenza», dijo. Demoledor.

Dilemas morales

Antes de tener hijos, de vez en cuando te asaltaba algún dilema moral, del tipo: «¿Voy a ver a mis padres o me escapo al cine?», «¿Me gasto un dineral en las vacaciones o ahorro para el coche?», «¿Me como el pastel o me aguanto y tomo fruta de postre?».

Ahora, los dilemas son de otro tipo y te afectan más, porque sabes que de tu respuesta dependerá el tipo de persona que será tu hijo.

Los compañeros de la guardería le pegan. ¿Qué le digo? ¿Que no se pega y que se lo diga al profe, o sea, que sea un niño pacífico? ¿O que se la devuelva y procure que no lo vean, y así le enseño a defenderse?

Mi niño se quiere pintar las uñas, igual que hacen sus hermanas. ¿Qué le digo? ¿Que de qué color las quiere, para no enseñarle estereotipos machistas y que tenga seguridad en sí mismo? ¿O que eso es de chicas, para que no me salga mariquita y no le den zapes en el colegio?

No quiere compartir sus juguetes. ¿Qué le digo? ¿Que compartir es vivir, y que así los demás también le dejarán sus cosas? ¿O que hace muy bien, que lo suyo es suyo y que yo tampoco presto mi iPhone o mi coche a cualquiera?

Contestes lo que contestes, siempre te queda la duda de si has hecho lo correcto.

12
SEXO Y RELACIONES DE PAREJA

«El episodio de "Pocoyó" dura 22 minutos. ¿Nos animamos?»

GEMA, madre de Paula, de 21 meses

Preparados para las mayores broncas

¿Quién dijo que los hijos unen a la pareja? Lo sorprendente es la cantidad de parejas que siguen juntas pese a haber tenido hijos... Pasados los primeros momentos ante el nuevo bebé, las oportunidades de discutir son múltiples. Y es que nadie, cuando se enamora y forma una pareja, examina a su contraparte sobre sus opiniones educativas o de crianza. ¿Estivill o González? ¿Colegio público o privado? ¿Abrigado hasta las cejas o «déjale, que el frío curte»?

Cuando aún era joven e inocente (es decir, cuando ni se me había pasado por la cabeza la idea de tener hijos), me encontré con una pareja de amigos que tenían un niño de un año y poco y un recién nacido. Me pareció que ella estaba muy seria, enfadada, que se palpaba la tensión. Me resultaba rarísimo, ya que siempre los había visto tratarse con cariño y humor incluso en los desacuerdos. Tanto me impactó que aún lo recuerdo.

Años después lo comprendí. Los primeros días, semanas, están agobiados y agotados, una combinación pésima para pensar con lucidez y hablar con equilibrio. Las hormonas disparatadas contribuyen a las reacciones emotivas y exageradas (ojo, que no digo que sean injustificadas). De repente, aunque él ayude en todo, ella se siente abandonada porque no se ha ofrecido a coger un rato al bebé, pese a que le ha dicho claramente que tenía ganas de ir al baño. Bronca. Así que ya ni te digo si él es de los que no ayudan. O si cree que ella no le hace el suficiente caso, que sólo tiene ojos y tiempo para el bebé, mientras que ella siente que no le da la vida para más. Bronca.

A partir de entonces, las oportunidades de discutir se multiplican: si el bebé no duerme bien, y uno es partidario de tomarlo en brazos y el otro de dejarle llorar un rato; si ella está entusiasmada dando el pecho, y él cree que ya es mayorcito; si uno cree que hay que insistir cuando no quiere comer más, y el otro que no pasa nada...

Y cuando crecen más es aún peor. Cuando empieza la educación propiamente dicha, es cuando salen a la luz todas las diferencias de criterio entre los dos. El más estricto acaba sintiéndose el policía malo, el que siempre regaña y castiga, mientras que el más permisivo se convierte en el abogado defensor, el que salta para intentar suavizar la regañiza y justificar al pequeño acusado.

Lo reconozco, en este sentido, soy una auténtica molestia que, además, hace lo que no se debe: mostrar mis desacuerdos delante de los niños.

Perder la virginidad otra vez

Después de mes y medio a pan y agua, el ginecólogo les da luz verde para retomar las relaciones sexuales. O a veces, durante la famosa cuarentena, un besito cariñoso por aquí, un «ponme la cremita» por allá, un toqueteo, un masajito, lleva a que decidan saltarse el plazo de abstinencia y tirar para adelante.

Y, de repente, aunque se conozcan de sobra, aunque lo hayan hecho cientos de veces antes, es como si fuera la primera vez. Ella está muerta de miedo, sobre todo si tiene puntos por la episiotomía o la cicatriz de la cesárea. Mi miedo principal era al dolor, pero muchas madres cuentan que también están aterradas ante la idea de quedarse embarazadas de nuevo. Tan reciente tienen el parto y el cansancio de los primeros días que les da miedo tan sólo pensar en otro bebé.

Él está muerto de miedo porque nota que ella está muerta de miedo. Ella puede que esté totalmente seca por la disminución de estrógenos. O que tenga la libido tan baja *como un ficus* (expresión prestada de una fantástica madre bloguera, «Mamá en Alemania», que también ha publicado un libro con sus experiencias), pero que siga adelante porque le ve a él con muchas ganas. Si da el pecho, puede que con un roce empiece a gotear leche como si se hubiera abierto un grifo. Por si fuera poco, estáis pendientes del menor ruidito que haga el bebé y pensando si no será mejor aprovechar este momento para dormir, que falta les hace.

Puede que la primera vez, la que habían esperado incluso con la misma ilusión que dos novios adolescentes, sea un completo fiasco. Es normal. Los expertos recomiendan paciencia, ir haciendo otras cosas sin llegar a la penetración para ir recuperando las ganas (un masaje, contacto piel con piel, besos, caricias, sexo oral...). Y un bote de lubricante siempre ayuda.

Sexo ninja

Una vez que volvieron a perder la virginidad, descubrirán una nueva modalidad muy propia de los padres: el estilo ninja. Es decir, sexo a oscuras, rápido y silencioso.

Se acabaron los encuentros matutinos de los domingos. Las siestas alegres, las tardes espléndidas, los *aquí te pillo, aquí te mato*. Adiós a probar cada cuarto del departamento. Porque, salvo conjunciones astrales que impliquen movilización de abuelos, tíos, niñeras o viajes, los encuentros de pareja se limitan a esos momentos en los que los niños duermen, al final de una larga jornada, y muchas veces cuando el cuerpo y la cabeza dan para poco más que para vegetar un rato delante de la tele con el encefalograma plano.

Nosotros tuvimos a los niños durmiendo en nuestro cuarto bastante tiempo. Es cierto que podíamos quedarnos en el sofá o en otro cuarto que estuviera libre cuando ya se habían acostado, pero la mayoría de las veces optábamos por arriesgarnos e ir a nuestra cama por dos razones: es más grande y, por tanto, más cómoda; y para aprovechar el efecto anestésico del sexo y quedarnos dormidos ipso facto sin tener que levantarnos y cambiarnos de habitación.

Así que, entre los crujidos del Titanic y el fácil despertar de Natalia y Elisa, éramos, tal cual, ninjas embozados en la oscuridad. Eso sin contar la de veces que hemos tenido que abortar la misión cuando ya estábamos a medias porque alguien se ha despertado. Y retómala después...

Pero si tus bebés ya duermen en su propio cuarto, no te preocupes, porque aún tienes la oportunidad de conseguir el título de grado máximo en la especialidad de sexo ninja: basta con que te vayas unos días de vacaciones a un hotel. Encontrarás todo lo que necesitas: una habitación compartida con toda la prole y, con suerte, las camas bien pegadas las unas a las otras.

Ahora que son un poco más grandes y que hemos recuperado nuestro cuarto, el sexo ya no tiene lugar siempre a oscuras, pero sigue siendo nocturno y, muchas veces, rápido. De día, hay pocas oportunidades, y, aunque a veces nos planteamos un *aquí te pillo, aquí te mato*, casi siempre me corto ante la idea de dejar a mis pequeños traumatizados por una sorpresa. Y cuando llega la noche, estamos tan cansados que parece que estemos participando en una lucha contrarreloj antes de caer dormidos.

Ya me han adelantado que hay una nueva e interesante fase, que nosotros aún tenemos que explorar, que es la del sexo con adolescentes en casa, cuando ya entienden las señales y los ruidos de lo que ello implica... Eso cuando no son ellos los que lo practican. ¡Glups!

El síndrome de déficit de atención sexual

La de cosas que uno aprende gracias a Google... Resulta que no soy la única que, en plena misión ninja, descubre que su mente se ha ido un momento a completar la lista de las compras o a repasar que lo tenga todo listo para el día siguiente. Incluso algunas madres chistosas han bautizado estos momentos de ausentismo como el *síndrome de déficit de atención sexual*.

Lo padeces si te suena esto: «Mmmmmmm, qué rico... ¿He sacado los filetes del congelador?... Ooooooooh... ¿Quién tose, Natalia o Elisa?... Aaaaaaah... ¿Hemos guardado las tareas de David?... Mmmmmmm... ¿Y pasado mañana qué comemos, lentejas o cocido?».

Es una de las desventajas de volverte multitarea después de tener hijos, que cuando al fin te quedas tranquilo, ya no sabes concentrarte en una sola cosa. Claro, te has acostumbrado a hacer de todo con uno o varios niños reclamándote al unísono y a maximizar el tiempo pensando en una tarea mientras haces otra. Así que, en el cine, cenando o en la cama, sigues con el disco duro procesando información en segundo plano. Espero que sea temporal.

Cuando no hay ni sexo ninja

Aunque lo parezca, para unos padres primerizos, limitarse al sexo ninja no es ni mucho menos lo peor. El agotamiento, el estrés, las discusiones, los distintos horarios, el miedo de la mujer al dolor, pueden minar la vida sexual hasta el punto de que muchas parejas no tienen relaciones en semanas o incluso meses.

Descubrí esto en una conversación jocosa, pero muy sincera, que surgió en un grupo de Facebook en el que intervenimos sobre todo madres. Una de las participantes, Nerea, planteó, al grito de «¡somos mujeres, no muebles!», un reto: al menos dos *acercamientos* a la semana. La sorpresa fue ver que muchas lo consideraban algo inalcanzable y que se creían afortunadas si habían cumplido una vez ese mes.

Consulté con una terapeuta de pareja, Gema Rubio, que me confirmó que esto es bastante frecuente. «Nuestros recursos físicos y psíquicos son limitados, y, cuando hay poca energía, nuestro organismo prioriza adónde dirigirlos». Al fin y al cabo, «el sexo es ejercicio físico y, si se comienza sin ganas, es como si te pidieran que salieras a correr a las once de la noche después de toda tu jornada». Con lo que me gusta a mí hacer ejercicio... Ahora entiendo por qué muchas veces me apetece más el sofá.

La psicóloga recomienda trabajar distintos aspectos para volver a tener ganas. Lo primero, relajarse, porque la tensión bloquea el deseo. Si hay conflictos en la pareja, se deben resolver antes. Si una de las partes está muy cansada, hay que hacer un reparto de tareas más equilibrado. Si la mujer tiene miedo o siente dolor, se tiene que comprobar si la causa es médica y, si no es así, usar lubricantes. Para despertar el deseo, se pueden acordar encuentros simplemente para acariciarse y estar juntos, desnudos, sin la idea del coito, o probar cosas nuevas, como juguetes, lencería, libros o películas.

Todo sea para recuperar el sexo ninja.

Hacer cosas de mayores

Puede parecer una locura, pero si quieren salir a hacer algo de mayores en pareja, aprovechen los primeros tres meses. Me refiero a actividades como cenar o tomar algo en una terraza, pues son viables con un bebé que aún pasa gran parte del tiempo dormido en su carriolita, y que, por tanto, es como si no estuviera. Hasta se pueden tomar de la mano y mirarse a los ojos. Del cine, el teatro o la discoteca olvídense durante bastante más tiempo. Cuando David tenía esa edad, a veces íbamos a un restaurante que hay cerca de casa, e, ilusa de mí, pensaba: «Pues no es tan malo como creía, si hasta puedes salir». Si se despertaba, teta o movimiento de carriola y se volvía a quedar dormido.

La ganga se acaba cuando, a los cuatro o cinco meses, empiezan a mostrar curiosidad y a querer incorporarse. A partir de entonces, y hasta que sean ellos los que salgan de noche, tienen varias opciones: quedarse en casa, llevarlos con ustedes o encargarlos.

Quedarse en casa. ¿Que tienen niños? ¡Sean responsables! Al fin y al cabo, están agotados, y ahora en la tele hay un montón de canales, o pueden bajar una peli y, luego, arrastrarse hasta la cama e incluso tener sexo ninja. ¿Qué mejor que un plan casero, sin embotellamientos, colas, gente, ruido?

Llevarlos con ustedes. Cuando ya caminan y hablan, si los llevan con ustedes, el plan de pareja deja de ser de pareja para convertirse en un plan de supervivencia con niños, totalmente distinto, en el que pasarán más tiempo corriendo que sentados. Pero en esos cinco o seis meses que hay entre la fase tamagotchis y cuando adquieren la capacidad de desplazarse por su cuenta, aún pueden hacer semiplanes de pareja con ellos.

Eso sí, se suelen limitar al ámbito gastronómico, como comer, cenar o botanear, y, lo más posible, en sitios tranquilos, con espacio suficiente para la carriola. Lo normal es que el niño permanezca plácidamente dormido o tranquilo hasta justo el momento en el que les sirven la comida. Así que se tienen que hacer expertos en alguna de estas técnicas:

Los turnos. Uno come y el otro intenta dormir o distraer al pequeñín, o se lo queda en brazos. Cuando el que come acaba, toma al niño. Tienen que elegir si prefieren comer a toda prisa para relevar al otro o comer frío.

La mamá pajarito. Uno tiene al bebé en brazos. El otro come, al mismo tiempo le parte el filete al que tiene al nene y le va dando la comida en la boca.

Comer con el bebé en brazos. Éste es para los más experimentados. Les aseguro que Eduardo podría comerse una mariscada, usando todos los artilugios quirúrgicos necesarios, con cualquiera de nuestros hijos encima y sin mancharse.

Encargarlos. Niñeras, abuelos o tíos, todo vale, aunque si es muy pequeño da cosilla, no se vaya a despertar y no estén. Y si es más grande, también da cosilla, no lo vaya a complicar. Pero si lo consiguen, se abre ante ustedes un abanico inimaginable de actividades de mayores a las que ya no están acostumbrados, con la presión de que no pueden fallar, porque a saber cuándo podrán volver a salir. ¿Vamos al cine o al teatro? ¡Uf! ¿Y qué película? Mira que si para una vez que salimos vemos un bodrio... ¿O vamos sólo a cenar?

La mayoría de las veces, simplemente hacen el plan que les permite el límite espacio-temporal, de un par de horas, como mucho tres, del que disponen y que, por tanto, no los deja irse muy lejos. Así que las combinaciones cine o teatro más cena son tan raras que las tienen que reservar para días muy, muy, señalados.

Hay que ser imaginativos: durante una temporada, cuando aún no teníamos tres niños, nos hicimos asiduos de las sesiones matinales de los cines, las de las doce, porque era más fácil que mis padres se quedaran con David y Natalia por la mañana y a mediodía que por la noche. Desde que nació Elisa, la cosa se ha complicado bastante, porque, aunque los abuelos tienen voluntad, se necesita mucha energía para cuidar a tres.

Nos escapamos tan pocas veces que, una noche en la que me vestía y maquillaba un poco para salir a cenar, Natalia me dijo: «Te estás poniendo muy bonita, me gusta mucho tu disfraz. ¿Te estás vistiendo de princesa y papá de rey?».

Otra alternativa es la de mis amigos Marco y Cris, que desde el primer hijo (¡y ya tienen cuatro!) pusieron como condición *sine qua non* a sus sucesivas asistentas que se quedaran todos los viernes con los niños mientras ellos salían. Una solución envidiable, pero que no entra, desgraciadamente, en los planes de la señora Chu.

Sobre todo al principio, la mitad del tiempo que están fuera la pasan hablando de los niños. Y la otra, mirando el teléfono para comprobar que no los han llamado, o llamando ustedes para ver si están bien. Hasta que se dan cuenta de que, en cuanto salen por la puerta, se portan mucho mejor que cuando están con ellos. Es un hecho.

13
EL DÍA A DÍA CON NIÑOS

«Es que los niños son *insistentes* e impertinentes».

Un plomero que nos arregló una tubería,
padre de dos niños

La aventura de salir de casa con el bebé

Los primeros meses, cuando intentas salir de casa y tienes prisa, suele cumplirse la ley de Murphy: el bebé se caga cuando estás en la puerta. Y se desborda.

Cuando has conseguido bañarte y vestirte en los huecos temporales que pudiste, le dejaste la tripa llena, esperaste un tiempo prudencial a ver si hacía caca y no la ha hecho, lo vestiste con sus correspondientes capitas de cebolla, preparaste la carriola y la bolsa con todos los *porsis*, te pusiste los zapatos, el abrigo, y abres la puerta, es entonces cuando oyes el pedo atómico o hueles ese aroma inconfundible.

Lo cargas con cuidado y haces control de daños, a ver si con suerte sólo hay que cambiarle el pañal: nada por delante, pero por detrás... mancha que se extiende por toda la espalda. Toca desenvolverlo con cuidado, quitándole todas las capas como si fuera de porcelana, no se vaya a esparcir más toda la caca: pelo, tu ropa, el sitio donde lo estés cambiando... Luego, baño o lavado exprés con toallitas, y volver a vestirlo capa por capa. A continuación, frotar la ropa sucia con un poquito de agua con jabón para que después salga la mancha.

Y si no es la caca, tendrá hambre aunque le acabes de dar de comer, o llorará y no sabrás por qué, o se te olvidará algún *porsi* imprescindible del que te acordarás cuando estés ya en el ascensor. Con suerte, llegarás sólo media hora tarde.

Carrera de obstáculos por la mañana

Cuando no tenías hijos, las mañanas antes de salir de casa eran muy tranquilas, incluso aburridas; lo que pasa es que no lo sabías. Levantarte, ducharte, vestirte, desayunar, lavarte los dientes e irte.

Ahora, si eres el encargado de levantar a los niños para llevarlos a la guardería o al colegio para irte luego tú al trabajo a tiempo, habrás descubierto que es uno de los momentos más estresantes del día, junto con el viacrucis nocturno (baño, pijama, cena, dientes y a dormir). Sólo hay que levantarlos, vestirlos, lograr que se laven la cara, hacerles el desayuno, conseguir que se lo coman y peinar a las niñas. Casi nada.

Primero te preparas tú. Luego, despiertas al niño. Depende del carácter de cada uno. Elisa tiene buen despertar, y está siempre alegre y activa por la mañana. Pero como sea de los que se les pegan las sábanas, peligro. Niño enojado desde por la mañana supone niño poco dispuesto a colaborar, es decir, padre crecientemente agobiado y, al final, enojado.

En casa, la carrera de obstáculos casi siempre es cosa de Eduardo en solitario, porque yo (¡qué mala suerte!) entro a trabajar antes. Como es práctico y organizado, deja los desayunos preparados por la noche, a falta de echar y calentar la leche del cola cao. Normalmente, Elisa se levanta sola y va a verle mientras se ducha y se viste. A veces, David también se levanta antes de su hora. La más dormilona, a la que hay que sacar de la cama en contra de su voluntad, es Natalia. Y es como despertar a un oso polar, que parece tierno y abrazable, pero que te puede arrancar un brazo de un bocado.

La cosa empieza suave, con cosquillitas, un besito, «buenos días»... Hay días en los que ya desde el primer momento se adivinan los problemas. Es cuando contesta con un gruñido y dándose la vuelta. Otros, cuyo final es más incierto —porque toda situación con niños es susceptible de torcerse en cualquier momento—, abre los ojos y parece que responde a las señales externas. El siguiente paso es intentar arrancarla de la cama, que vaya al baño y vestirla. Los días buenos lo hace de un jalón, es decir, distrayéndose sólo dos o tres veces por el camino. Los malos...

—Natalia, hay que levantarse.
—Grrrrrrrrrrrrr. ¡No!
—Venga, cielo, que tenemos que ir al colegio.
—Grrrrrrrrrrrrrrrrrrrrr. ¡No quiero ir al colegio!
—Vamos, sal de la cama y ve a hacer pipí.
—Grrrrrrrrrrrrrrrrrrrrrrrrrrrrrrrrrrr. ¡No quiero hacer pipí!

A todo esto, conversación a distancia con David o Elisa, que ya están vestidos y desayunados, desde el comedor:

—Papáaaaaa. Papáaaaaaaaaaaa. ¡Papáaaaaaaaaaaaaaaaaaaa!
—¿Qué quieres?
—Papáaaaaaaaaaaaaaaaa, que vengas.
—Un momento, que estoy con Natalia.
—Papáaaaaaaaaaaaaaaaaaaaaaaaaaaa, ven.

Papá suspira. Se levanta y va. Cuando vuelve, Natalia sigue en la cama, en la misma postura.

—Venga, Natalia, que se hace tarde.
—Grrrrrrrrrrrrrrrrrrrr. ¡No quiero!

Papá se va calentando. El tono se va endureciendo.

—Natalia, levántate YA.
—Grrrrrrrrrrrrrrrrrrrrrrrrrrrrrrrrrrrrr.
—A la de una, a la de dos...
(Sigue funcionando.)
—¡Que ya me levanto yo sola! Grrrrrrrrrrrrrrrrrr.

Si sobrevive a esta parte sin más enfados, se puede decir que la mañana ha ido bien. Con el desayuno, se suele activar, y ya resulta más fácil. Así es una mañana cuando sólo una está de mal humor, pero, como todo el mundo, David también puede levantarse algún día molesto, o Elisa con ganas de mimos y de estar en brazos. Imagina el día en el que coinciden los tres a la vez.

Últimamente, hemos adoptado la costumbre, no sé si educativa pero sí motivadora, de que si están listos pronto pueden ver dibujos animados en el iPad un rato. Y sí que se nota que corren más. Cuando llega la señora Chu a las nueve, toca el *sprint* final de abrigos, mochila, tentempié del recreo, crema en la cara, brebaje antipiojos... y al coche. Han sido sólo cuarenta minutos, pero qué largos...

Prisas, prisas, prisas

Los bebés y los niños pequeños son incompatibles con la rapidez. Así que, cuando quieres ir a cualquier sitio con ellos, tienes dos opciones: empezar a preparar la salida con mucho tiempo para adaptarte a su ritmo, o hacerlo al ritmo que consideras normal e ir por detrás metiendo prisa para intentar acelerarlo.

Muchas veces se mezclan las dos. Empiezas con mucha antelación, creyendo que esta vez no te agarrarán las prisas. Pero ellos son capaces de ser mucho más lentos de lo que te hubieras imaginado. Y, de repente, ves la hora, sacas la fusta para azuzar al mayor, ayudas a vestirse a la mediana, aunque debería hacerlo sola, amenazas con contar hasta tres varias veces y a veces gritas. Cuando al fin están todos en el coche, estás tan agotado que lo que te pide el cuerpo es volver a casa.

Uno de los aspectos en los que más ha cambiado mi vida desde que tengo hijos es la prisa, ese estado de aceleración continua, de llegar permanentemente tarde cuando voy con ellos, de intentar estirar el tiempo para hacer todo lo que tengo que hacer cuando estoy sola: salir del trabajo, comer a toda prisa, aprovechar cinco minutos libres para comprar algo que falta, llegar a tiempo para recoger a uno u a otro... Creo que es más fácil para Eduardo, que siempre ha sido rápido, hiperactivo. Pero a mí, que soy más bien lenta, remolona, con un reloj interior que va cinco minutos atrasado, me resulta antinatural correr y, más todavía, obligar a correr y a llegar a tiempo a tres pequeñas rémoras. Así que cuando me toca a mí sola prepararlas para ir a algún sitio, solemos llegar tarde.

¿Padres o taxistas?
Por si no fuera suficiente con su natural lentitud, nosotros, los adultos, nos complicamos la vida solos. A ver, si no, por qué nos empeñamos en apuntarlos a quince actividades extraescolares desde que tienen cuatro años. ¿Tú hacías extraescolares a esa edad? Yo tampoco. ¿Sacará mejores notas, tendrá más oportunidades, será el nuevo Cristiano Ronaldo o Rafa Nadal? Lo dudo mucho. Pero ahí están y, por más que lo pienso, no me decido a borrarlos de ninguna. Así que luego no me puedo quejar de estar todo el día de taxista.

Hagamos el recuento de la agenda de actividades de David, que, con seis años, la tiene bastante más apretada que la mía:

MARTES Y JUEVES DE 17.00 H A 18.00 H: gimnasia artística en el club cerca del colegio. Hay que recogerlo a las 16.30 h y llevarlo al gimnasio caminando. Le encanta dar volteretas o pararse de manos, saltar y trepar.

VIERNES DE 16.30 H A 17.30 H: patinaje en el colegio. Le regalamos unos patines por su cumpleaños, y le gustan mucho. A LAS 18.30 H: natación en un polideportivo a quince minutos en coche. Aunque ya se defiende bastante bien en el agua, nos parece muy importante que sepa nadar lo mejor posible.

SÁBADO: tres horas de colegio chino a quince minutos en coche de casa. Imprescindible para que aprenda el idioma.

Ahora combinémosla con la agenda de Natalia:

MARTES Y JUEVES DE 16.30 H A 17.30 H: teatro y coro en el colegio. No la podíamos apuntar a gimnasia con David porque es demasiado pequeña, y así está entretenida un rato mientras el hermano está en el gimnasio y ella desarrolla su vena de artista. Se lo pasa bien pero podría vivir sin ello.

VIERNES: nada.

SÁBADO: tres horas de colegio chino. Por la tarde, a las 18.00 h: piscina. A la misma hora, Elisa y yo vamos a matronatación. No había clase el mismo día y a la misma hora a los que va David.

Así que los martes y los jueves, a uno de los dos nos toca recoger a David; llevarlo al gimnasio; ir por Natalia; en el camino, a la ida o a la vuelta, parar en la carnicería o en la frutería, e ir con ella al gimnasio a por David, y luego todos a casa. A veces también se apunta Elisa.

Los viernes hay que recoger a Natalia del colegio a las 16.30 h y llevarla a casa. A las 17.30 h, recoger a David. Normalmente, da tiempo de hacer algún mandado, y luego a la piscina. Los sábados, toca dejar a los dos mayores en el colegio chino y recogerlos después. Por la tarde, llevar a Natalia y Elisa a natación.

Y todavía queda meter en la ecuación a Elisa cuando empiece el colegio. Estoy agotada sólo de escribirlo.

Viajes: el paso del Estrecho

Es curioso, pero, cuanto más pequeños son los niños, más aumenta su equipaje. Cuando son bebés, da igual que te vayas a pasar fuera un fin de semana o un mes, llenas la cajuela hasta arriba. Y casi todo son cosas suyas. De hecho, lo que usan dos adultos cabe en una pequeña bolsa de mano. Todo lo demás es para los niños.

Primero está lo imprescindible: la carriola, los pañales, las toallitas y los biberones si los toma. Y después, la ropa. Pero, ojo, no sólo la ropa que suele usar un bebé en un par de días, sino la ropa que PUEDE LLEGAR a usar. Y aquí es cuando un pijama, un par de *bodies*, pantaloncitos y camisetitas y un suéter se transforman en tres pijamas (una finita, una un poco más gruesa y una gorda de terciopelo), siete *bodies* (tres de ellos de manga corta, otros tres de manga larga y uno de tirantes), cinco pantalones (finos y gruesos), cinco camisetas (de manga corta y larga) y cuatro suéteres (dos finos y dos gordos). Ah, y dos abrigos. Y baberos, muy importante.

Cuando ves la maleta, no entiendes lo que ha pasado. Pero ¡si sólo nos vamos dos días! Fácil. Se te ha llenado de *porsis*: por si se hace caca y desborda, por si vomita, por si se mancha al comer, por si se vuelve a hacer caca y vuelve a desbordar, por si vomita por segunda vez, por si hace frío en la calle, por si hace calor, por si hace frío en la calle pero calor en el hotel, por si...

También puedes añadir la periquera portátil, y hay quien se lleva hasta la olla exprés y la batidora para hacer purés, por aquello de que las papillas no son iguales. Conforme van creciendo, metes menos *porsis* de ropa y más para distraerlos: su peluche favorito, cosas para pintar, juguetes, libros, DVD, golosinas para las situaciones de crisis que se den por el camino...

Cuando vuelves a casa, compruebas que no se ha puesto ni un tercio de la ropa que llevabas. Es más, se ha manchado mucho menos que en casa. Pero no puedes dejar de llevarla. Por la ley de Murphy. Si no la hubieses llevado, la hubiera necesitado toda.

Te gastan el nombre

¿Cuántas veces puede decir un niño «mamáaaaaaaaaaaaa» o «papáaaaaaaaaaaaaaaaaa» al día? ¿Decenas? Sean las que sean, son demasiadas. A partir del año, esperamos impacientes a que digan «papá» o «mamá». ¿Para qué tanta prisa? Si luego vas a oírlo tantas veces que desearás haberle enseñado el nombre de la vecina del segundo, para que la llame a ella...

David habló tarde. De hecho, llevaba meses diciendo «papá», pero no recuerdo su primer «mamá» hasta casi los dos años. Y ahora es un no parar. «Mamá, ¿qué has traído de merendar?» «Jo, mamá, qué rollo, otra vez caviar ruso». «Mamá, cuando llegue a casa quiero hacer C-A-C-A» (se nos acabó lo de deletrear las palabras que no queremos que escuchen durante una conversación).

Esto en las distancias cortas. Cuando estamos en cuartos distintos, es más bien algo así:

—¡Mamáaaaa! ¡Mamáaaaaaaaaaa! ¡Mamáaaaaaaaaaaaaaaaaaaa!
—¿Qué pasa?
—¿Puedes venir?
—No, no puedo.
—¡Mamáaaaaaaaaaaaaaaaaaaaaaaaaaaaaaaa! ¡Ven!
—Que no puedo.
—¡Mamáaaaaaaaaaaaaaaaaaaaaaaaaaaaaaaaaaaaaaaaaaaaaaaa!

Puede alargar las aes y subir el tono lo que quiera. Cualquier cosa menos levantarse y venir a decírmelo a donde esté, que normalmente es el baño o la cocina; vamos, que ni que viviéramos en el palacio de Buckingham... Dejas lo que estás haciendo y sales corriendo, previendo una catástrofe nuclear. Cuando llegas al salón:

—¿Qué pasa?
—Que no encuentro el control.
(Que está en la mesa de al lado.)

Multiplícalo por tres, a veces simultáneamente, a veces de forma alterna.

Para colmo, en un alarde de responsabilidad materna, le he hecho memorizar a David mi número de celular. Así que ahora también me llama por teléfono al trabajo: «Mamá, soy David. ¿Dónde está mi arco?». Se lo digo. Al rato, me vuelve a llamar: «Mamá, soy David. ¿Cómo se hacía para disparar el arco con la mano derecha...?».

Les gastas el nombre

Pero no nos podemos quejar de que nos gasten el nombre y nos llamen sin parar. Porque nosotros, los adultos, tampoco nos quedamos atrás.

—David, Natalia, Elisa, hay que recoger que vamos a cenar.

(Siguen jugando).

—David, Natalia, Elisa, vamos, recojan, que hay que poner la mesa para cenar.

(Siguen jugando. Ahora vamos a intentar la estrategia de divide y vencerás).

—David, venga, recoge y lávate las manos.

(Sigue jugando).

—Natalia, que te toca poner la mesa.

(Sigue jugando).

—Elisa, ¿quieres ayudarme?

A veces con ella funciona, porque todavía es pequeñita y la puedes engañar con cosas presuntamente divertidas que sus hermanos ya saben que son un rollo. Así que ya tengo a una en mi bando.

—David, Natalia, venga.

(Tono que ya empieza a ser de enojo).

—¡Jopéeeeeee, mamá, no hemos terminado de jugar!

—Vamos, David, Natalia, ¡ahora mismo!

Ya no queda mucho de tira y afloja. Con un par de veces más que diga sus nombres, están a puntito de obedecerme.

En nuestro caso, además, hay que tener en cuenta que son tantos, o eso nos parece, que la mayoría de las veces nos equivocamos de nombre: «David, digo, Elisa, digo, Natalia, ven aquí un momento». Encima, les gastamos el nombre en vano.

El silencio

A veces, milagrosamente, se hace el silencio en casa. Si están dormidos o en otro sitio, disfrútalo. Un rato sin «papáaaaaaaaaaaaa» ni «mamáaaaaaaaaaaaaaa», sin «buaaaaa, es que David me pegó», «no, mentirosa, ha sido ella», sin llantos aunque también sin risas, sin gritos ni golpes. Chisssssst. Es tu momento mágico.

Otras veces, sin embargo, te percatas, de repente, de que ha bajado la intensidad del ruido estando ellos en casa, en horario diurno y sin tele de por medio... Corre. Están haciendo travesuras. O están a punto.

Los míos, por suerte o por desgracia, son más bien ruidosos. O todavía no han aprendido el arte del disimulo. Así que solemos interceptar sus fechorías o experimentos a tiempo. Un grifo abierto suele ser señal de que Elisa considera que hay que lavar algo. Golpes de la puerta del armario significan que ha sacado todos los zapatos y se los quiere probar.

Pero puede que solo te des cuenta de que están saltando encima de la cama cuando oigas el bum inconfundible de una cabeza contra la pared o el suelo y los llantos correspondientes. O que descubras que han decidido trasladar decenas de juguetes a otro cuarto o al medio del pasillo cuando te tropieces con ellos.

El celular, la navaja suiza del padre moderno

He tenido que poner una contraseña de acceso a mi teléfono celular. Y no por miedo a que un hipotético ladrón disponga de mis datos. Sino porque los ladrones, en este caso, viven en mi casa. Tienen los deditos pequeños, pero son muy rápidos, y si te descuidas un momento, toman el celular, y están jugando con él o viendo algún capítulo de alguna serie de dibujos.

Desde que tiene cerca del año y medio, Elisa sabe usarlo. Al principio, toqueteaba solo los juegos para bebés que le ponía yo. Enseguida empezó a pedirlo ella (una de sus primeras expresiones fue *cococa*, por Toca Boca, la empresa que hace varias de las aplicaciones que usaba). Y es alucinante (y también da miedo) ver con qué soltura pasa de una pantalla a otra, cómo elige los dibujos animados que quiere ver, cómo sube o baja el volumen.

¿Cómo se las arreglaban nuestros padres sin *smartphone*? ¿Y los padres, hasta hace unos pocos años? De hecho, mi supermóvil solo tiene año y pico, es decir, que los primeros años de David y Natalia yo misma era una heroína prehistórica que me las arreglaba para distraerlos en viajes o restaurantes sólo con papel y lápices de colores, que los abrigaba por las mañanas, según con la previsión del tiempo de la tele, sin que un desglose hora a hora me confirmase que hacía mucho frío, y que daba de mamar a oscuras, pensando en mis cosas, sin jugar a la vez Apalabrados o mirar Facebook.

Tampoco podía comprar los juguetes del cumpleaños o los boletos para irnos a ver a la abuela con unos cuantos clics. Y les sacaba muchas menos fotos y videos porque tenía que buscar la cámara...

Lo de la linterna no lo destaco porque ya era una de las funciones básicas de mi celular anterior. En fin, que no sé lo que haría sin él.

La señora de la casa

La señora de la casa, esa expresión que suena tan antigua, describe perfectamente a la jefa, a la mujer que gobierna el hogar, la que decide lo que se come, lo que se compra, cómo se organiza el día a día. Y la señora de la casa, en mi casa, no soy yo. Es la señora Chu, o *Chu mama*, como la llaman los niños. No solo es la señora de mi casa (e imagino que de la suya), sino que de ella y de sus citas médicas depende la agenda de mis compañeros de trabajo.

La señora Chu llegó a nuestro hogar casi por casualidad. Cuando estábamos embarazadísimos de Elisa, tuvimos una revelación. Nos llegó con dos niños de retraso, pero valió la pena. ¿Por qué no contratamos a una señora que cuide de la niña y que, además, sea china, para que le hable siempre en chino y aprenda mejor el idioma?

Mi madre vio un anuncio en un periódico, chino, de una mujer que se ofrecía a cuidar niños en su propia casa, llamó y le preguntó si estaría interesada en venir a la nuestra, la entrevistamos y, desde entonces, está aquí.

La señora Chu se encuentra en la cincuentena. Aunque lleva en España diez años, casi no habla español. Viene de Heilongjiang, la provincia más septentrional de China, esa que sale en los telediarios todos los inviernos por sus parques temáticos de nieve y hielo. Así que en casa siente mucho calor y nos deja las ventanas abiertas en plena temporada invernal. Es simpática y comunicativa, aunque sus ansias de comunicación están limitadas por su escaso español y por mi escaso chino. Con los niños, sobre todo con Elisa, que es su ojito derecho, es como una abuela: los mima, juega con ellos y los deja hacer lo que quieren, a nuestro escandalizado modo de ver de padres.

La señora Chu lo mismo nos sirve para un roto que para un descosido. Es ingeniera mecánica y en China era profesora, labor que sigue ejerciendo los fines de semana dando clases particulares a niños. De modo que juega con Elisa, cocina, recoge a David y Natalia del colegio, hace con ellos los deberes de chino, nos prepara extrañas bebidas basadas en la medicina tradicional china para los distintos males que dice que nos afectan y, cuando le queda tiempo, limpia, plancha y cose.

Con Chu mama nos pasa lo que a toda familia que ha encontrado a la señora adecuada (en Madrid se utiliza el término *chica*, pero me resulta ridículo, hasta despectivo, utilizarlo para una mujer mayor que yo). Que ya no sabemos vivir sin ella, aunque se nos acumule la ropa para planchar, nos coman las pelusas y tengamos la casa más desordenada que cuando no está.

A veces, cuando llegamos a casa y han estado pintando y haciendo manualidades, la mesa y todo el suelo alrededor son un caos de plumones y papeles recortados, para desesperación de Eduardo, que se pone a recogerlos. Otras veces, cuando entramos, hay un silencio sepulcral porque la señora Chu y Elisa están echándose la siesta. Y es que nuestra cama de matrimonio da para mucho. Así que, con mucho cuidado para no despertarlas, recogemos todo lo que se ha dejado. A cambio, Elisa habla chino perfectamente, aunque con lengua de trapo, y no puedo describir el placer que supone llegar a casa y encontrar la comida hecha.

Nos gusta que vaya por los niños al colegio y los lleve al parque, porque así dan rienda suelta a sus más bajos instintos sin que nosotros lo suframos: coger hojas, flores y frutos, a veces con dueño (de jardines públicos o de vecinos); salvar bichos de las fuentes con palos; pisar charcos... En realidad, preferimos no saber exactamente lo que hacen. Ojos que no ven...

El único problema es su salud, un tanto delicada. Tiene síntomas de todo, y su foto aparece en carteles de «se busca» en los centros de salud de Madrid como causante de la crisis de la Sanidad. Lo sé yo, que le gestiono las citas, le traduzco por teléfono a los médicos durante la consulta y pido días libres y cambio los turnos de toda mi sección cuando tiene que hacerse análisis.

Teleniñera

Yo también tenía la idea de que los niños pequeños, cuanta menos tele vieran, mejor. Mucha estimulación temprana, abracitos, besitos, cuentos, psicomotricidad fina y gruesa... Y cuando crecen, unos poquitos dibujos, controlados, educativos a la par que divertidos, y que jueguen a otras cosas, que lo mejor es la imaginación... Nada de usar la tele de niñera. JA.

Al principio, David no le hacía ni caso a la tele. De hecho, la única ocasión que recuerdo que le prestó atención de bebé fue cuando vio a Rodolfo Chikilicuatre, aquel personaje estrafalario que participó en Eurovisión en 2008 por votación popular con el indescriptible *Baila el chiki chiki*. Sólo tenía siete meses, pero se rio a carcajadas.

Cuando nació Natalia, David tenía sólo año y medio. Y recuerdo que para mí era un alivio que de vez en cuando se quedara enganchado viendo el DVD de «Baby Einstein» y se distrajera solo, aunque fuera por cinco minutos, mientras atendía a la bebé. Empezamos con uno que nos regalaron, pero cuando vimos que le gustaba, compramos una caja en eBay con más de treinta (por el precio, me da a mí que eran piratas). Se los poníamos no porque creyéramos que lo fueran a convertir en superdotado, sino porque son entretenidos (imágenes de naturaleza y juguetes en movimiento acompañados de música clásica, con *sketches* de guiñoles intercalados) y bastante menos repetitivos que el CantaJuego.

Nosotros fuimos los camellos y responsables de que se enganchara a la caja tonta. Las hermanas vinieron detrás de forma natural, quedándose embobadas cuando David veía algo, con la diferencia de que apenas probaron «Baby Einsten», sino que pasaron directamente a la droga dura.

Y aunque sea políticamente incorrecto y totalmente antieducativo, para qué vamos a negarlo, la tele tiene su utilidad. Te garantiza al 80 por ciento esa media hora u hora entera de tranquilidad para dormir al hermanito pequeño, cocinar, ponerte al día con las tareas o ir al baño. Digo «al 80 por ciento» porque nadie te quita las peleas por elegir el programa, por las invasiones fronterizas en el sofá o, si es uno solo, los «¡Mamáaaaaaaaaaaaaaaaaaaa! ¡Se ha acabadooooooooooooooooooooo!».

¿Podrían estar jugando en su cuarto a la par que desarrollando su imaginación y sus habilidades motrices? Sí, pero entonces la tranquilidad baja al 20 por ciento. Hay muchas más probabilidades de tener bronca por juguetes que hasta el momento permanecían olvidados, construcciones derribadas o golpes fraternales con vías de tren de madera. ¿Podrían ayudarte en las tareas del hogar y pasar un estupendo rato cocinando juntos? Sí, pero en otra casa y, de ser posible, con otros padres, a menos que te guste estresarte con tres peques metiendo las manitas en una zona llena de cosas que manchan, cuchillos y fuegos.

Otro pequeño placer es ponerles la tele el fin de semana después de comer, sentarte con ellos y dormitar. Es casi una siesta.

Los niños son niños; las niñas, niñas

Parece una obviedad, pero después de seis años luchando, a pequeña escala, contra los sesgos de género con mis hijos, me rindo. Los niños son niños y las niñas, niñas, y parte de sus gustos y conductas responden a los genes. Y la otra parte, la de los condicionantes sociales, es tan fuerte que es imposible vencerlos.

Como muchos, David tuvo de bebé su fase de limpieza compulsiva, en la que pasaba una toallita a todo lo que encontraba, y de empujar carritos. También juega a veces a preparar comidas. Pero es mucho más físico que sus hermanas y, aunque suene común, le gustan los juegos de brutotes, de empujarse, de peleas fingidas y de patadas ninja al aire.

Natalia, que ha jugado más con David y siempre quiere imitarle, se ha adaptado a algunos de sus juegos de luchas cuando están juntos. Pero, cuando se queda sola, le sale la vena más tranquila y maternal, y le gusta jugar con los muñecos o las cocinitas, al igual que a Elisa. Y son juguetes que están ahí para los tres, sin hacer distingos y evitando en lo posible la invasión del color separador por excelencia, el rosa.

Porque, por mucho que les repitas que no hay juguetes ni colores de niños o de niñas, que a los chicos también les puede gustar el rosa y a las chicas los coches, en cuanto empiezan el colegio y a ver algunos anuncios en la tele, se acabó. El rosa marcará indeleblemente lo que es de niños y lo que es de niñas. Ellos rechazarán todo lo que lleve ese color, y ellas lo escogerán como primera opción siempre que puedan.

Y aunque les enseñes a tener sus propios gustos o su personalidad, la presión del entorno, aunque sean niños de seis años, es demasiado fuerte. Hace poco, por primera vez, David no quiso pintarse las uñas al mismo tiempo que sus hermanas, como siempre había hecho. Ha renunciado a algo que le gusta, tan divertido e inocente a sus ojos como pintarse la cara de Spiderman o disfrazarse, porque siempre se ríen de él. «Todos, mamá —me dijo—, hasta Jorge y Eduardo», que son sus mejores amigos.

Por un lado, me quedo más tranquila porque no tendrá que soportar burlas. Pero, por otro, me enoja que a niños tan pequeños ya les hayan enseñado que hay conductas que son de niño o de niña, y a reírse del que opte por algo diferente. ¿Hemos avanzado algo en todos estos años?

Abuelita, dime tú

La relación con nuestros propios padres, y sobre todo madres, es uno de esos temas peliagudos que se exacerba cuando tenemos hijos y, por tanto, los convertimos en abuelos. Puede que se llevaran bien con ellos, pero que la experiencia de la crianza los haya unido más porque ahora comprenden mejor lo que pasaron con ustedes. O que sean su principal ayuda, sin la cual no podrían trabajar los dos fuera de casa o permitirse unas pequeñas escapadas de vez en cuando.

Aunque también puede, sobre todo al principio, que acaben enfadados porque critican su forma de hacer las cosas y les llenan la cabeza de consejos no pedidos y repetitivos; o porque les dan a los niños cosas que ustedes no quieren que coman, se saltan los horarios que impusiste y les regalan demasiadas cosas.

Las peores discusiones que he tenido con mi madre han sido por los niños. Y por cosas que, en realidad, no tienen importancia, pero que en el momento, y por acumulación, me irritaron porque me hicieron sentir cuestionada. Ahora intento hacer «ommmm» y recordarme que no pasa nada porque mis padres mimen a los niños, que para eso están los abuelos, y que quiero que disfruten de su relación mutua los años que quedan y que mis hijos guarden un bonito recuerdo de mis padres.

Pero ¿y cómo lo ven los abuelos? Acudí directamente a las fuentes originales, es decir, a mi madre, Teresa, de 73 años, y a mi suegra, María Jesús, de 76, y les hice una pequeña entrevista. Me puse el casco en previsión del aguacero que me iba a caer, porque les pregunté, entre otras cosas, lo que creen que hacemos mal los padres actuales. Pero, ¡sorpresa!, las dos fueron muy acomedidas.

«Tienen mucha paciencia, pero les falta autoridad —es lo peor que ha dicho mi madre—. Antes lo que decían los padres se hacía, y no nos atrevíamos a discutir. Ahora tienen que repetir todo muchas veces y no te hacen caso». Cierto. Ahí estoy, navegando entre ser una madre no autoritaria y respetuosa, y enojándome como una mona cuando a la décima vez de pedirles algo de forma no autoritaria y respetuosa siguen sin hacerme ni caso.

«Lo consienten mucho —dice mi suegra—. Pienso que deberían carecer de algo y desearlo», afirma. Y no le falta razón. ¿Recuerdas a Zipi y Zape intentando reunir vales por partes de una bicicleta que nunca llega? Ahora, muchos niños, incluidos los nuestros, tienen bici desde los tres años. Y patines. Y coches teledirigidos. Algunos hasta tienen tableta propia, aunque uno de los padres esté en paro. Y *smartphone* desde los doce. Un poco exagerado todo, pero es tan difícil salir de esa vorágine...

En cuanto a la crianza, mi madre reconoce que tenía ventaja respecto a nosotros, porque mi hermano y yo no éramos tan traviesos como David, Natalia y Elisa, ni llorábamos ni nos peleábamos tanto. O eso recuerda, porque yo creo que con el tiempo se tiende a olvidar lo malo. Piensa que es más cansado ser padres ahora, porque acompañamos más a los niños, aunque se arrepiente de no haberlo hecho más en su época. Mi suegra, por su parte, echa de menos haber sido «más besucona» con sus tres hijos, algo que achaca a su carácter, más reservado. Y cree que a los padres de ahora, pese a tenerlo todo, nos va a resultar más difícil educar a los niños porque están más expuestos y tienen mucha más libertad.

Ambas coinciden en que lo difícil viene en la adolescencia. «Dan muchos disgustos», dice mi suegra. «Estás deseando que crezcan, pero cuando crecen piensas que eran mejores de pequeños, más ricos, más fáciles de llevar», asegura mi madre. «Ahora es más cansado físicamente, pero luego lo es psicológicamente», advierte.

Mi suegra, que tiene ocho nietos en total, confiesa que muchas veces se muerde la lengua al ver nuestra forma de educarlos. Pero también admite que la generación anterior siempre critica a la siguiente. «Mi madre se metía mucho con nosotros, decía que los niños estaban mal educados, pero no era verdad —recuerda—. A veces me enfadaba, claro, me jorobaba mucho, sobre todo que hicieran comparaciones entre los niños.» Parece que es ley de vida.

14
VIDA SOCIAL

«Tengo horarios otra vez, como si tuviera dieciocho años. Tengo que llegar a casa a la una para que la niñera pueda tomar el último metro».

Iván, padre de Iván, de cuatro años,
y de Luis, de diez meses

¿Qué era eso?

¿Te acuerdas cuando salías con un grupo de amigos sin un plan definido? Quedaban en un bar, o en una salida del metro, y ya se vería dónde y cuándo acababa la noche. O cuando quedaban para ir a ver una película, si podía ser, en versión original subtitulada en unos cines de autor, que así se aprecian mejor los matices. Y a la salida, se iban a comer algo mientras comentaban la peli, y a veces, después, se iban a tomar una copa. O cuando quedaban para ir de compras, o para comer, o para tomar un café y contarse su vida. O cuando pasabas un fin de semana fuera, incluso en el extranjero, aprovechando un boleto barato. Todo eso era tu vida social.

Ahora, tu vida social es tan escasa como el sexo a destiempo. Y como el sexo a destiempo o las salidas en pareja, requiere un aparato logístico, una forma física y una ausencia de sueño raros de encontrar en padres primerizos.

Olvídate de salir sin plan definido, eso es el suicidio del padre. Estás acostumbrado a que ahora todo se planifique antes y, además, para una vez que puedes salir, hay tantas cosas que te apetece hacer que tienes que llevarlo bien pensado, nada de desperdiciar esas pocas horas dando vueltas de un sitio que no te convence a otro.

Lo del cine de autor, mejor olvídalo. Si estás tan cansado que das cabezadas con una de peli de James Bond, no vale la pena pagar el dineral que cuesta ahora la entrada para dormirte viendo una peli danesa en blanco y negro y rodada en plano secuencia.

No le quites la entrada a un joven universitario con lentes de pasta que lo va a disfrutar mucho más.

Si sales de compras, sobre todo si eres madre, probablemente sufras el síndrome de visión hiperparental, que te hace ver sólo cosas para los niños. Vas en busca de unos pantalones de pana, pero, por el camino, te paraste en tres tiendas de ropa infantil a por algo que necesitaban ellos, o porque el escaparate era muy mono. Cuando empiezas a mirar pantalones para ti, descubres que vas cargada con bolsas de cosas para los niños y que ya no te queda tiempo. Total, tampoco sabes ya qué ropa se lleva ahora y te parece que todo te queda mal.

Pero también puede que sufras el síndrome contrario, el de «Soy la protagonista de *Sex and the City* pero con hijos», se te obnubile el cerebro y quemes la tarjeta de crédito, que ya está bien de pensar sólo en los niños y ya hace dos años que no te compras ropa para ti.

Hay varias combinaciones de salidas con amigos:

SALIDAS CON AMIGOS Y SIN PAREJA. Tiene una ventaja, que se requiere menos logística porque el que no va se queda con los niños y no hace falta movilizar a la niñera o los abuelos. Es lo más parecido a cuando salías sin hijos, pero lo malo es la sensación de culpabilidad que te acompaña, que resuelves llamando un par de veces a ver cómo va todo y preguntando: «¿Seguro que no quieres que vuelva?». Si es ocasional, no pasa nada. Si se convierte en algo regular, lo mejor es equilibrarlo y que cada uno tenga su día para sus cosas.

SALIDAS CON AMIGOS Y CON PAREJA. Requiere encargar a los niños, por lo que se limita la duración de la salida y la distancia a la que se puede llegar. Dependiendo de si son amigos comunes o sólo de una de las partes, la pareja acaba arrepintiéndose de haber ido, normalmente cuando llega la fase de recordar anécdotas de juventud que no vivió con gente que no conoce.

SALIDAS CON AMIGOS QUE TIENEN HIJOS. Aunque digan que

lo van a evitar, acabarán hablando de los niños durante gran parte del tiempo. Al final, te enterarás de qué tal le va en el colegio a cada uno o si han tenido alguna anécdota graciosa, pero poco de la vida adulta de vuestros amigos.

SALIDAS CON AMIGOS QUE NO TIENEN HIJOS. Un infierno. Te sientes fuera de lugar porque ellos siguen saliendo y se saben todos los chismes, comparten bromas de las que no te enteras, no tienen hora de llegada a casa y al día siguiente pueden dormir hasta tarde, incluso disfrutar de una buena resaca sin niños gritando alrededor, pueden comparar la peli que vieron con otra del mismo año... Envidias su libertad y al mismo tiempo piensas que son unos superficiales que ignoran lo realmente valioso de la vida.

Conversaciones con otros adultos: el ventrílocuo
Desde que nace tu primer hijo, desarrollas una serie de funciones a la hora de hablar que ni te habías imaginado que tenías. La primera es la de ventrílocuo y se activa cada vez que algún adulto se dirige a tu bebé, desde que nace hasta que empieza a decir sus primeras palabras. Por alguna extraña razón, sueles iniciar todas las frases del niño con: «Di sí». Es indispensable que el otro adulto haya activado también su función de hablar de forma ñoña y que obvie tu presencia para usar al bebé de intermediario.

VECINA: ¡Ay, pero qué guapo está mi niño! ¿Cómo estás, bonito?

Tú: Di: «Sí, estoy algo decaído, porque estoy resfriado».

VECINA: ¡Ay, pobre! ¿Y tienes muchos moquitos?

Tú: Di: «Sí, es un poco fastidioso porque no puedo dormir», ¿verdad, Paquito?

Paquito mira impasible a la escena en tus brazos. Lástima que no venga con un agujero de verdad en la espalda para meter la mano y moverle la boca.

VECINA: ¡Pobrecito! ¡Dile a mamá que te dé mucha agua y que te abrigue bien!

TÚ: Di «Sí, lo intentamos», ¿verdad, Paquito?

VECINA: Bueno, guapísimo, a ver si te pones bien, que me alegro un montón de verte. ¡Adiós!

TÚ: ¡Adióooooos! Paquito, di «adiós».

Y le miras insistentemente hasta que mueve la manita; si todavía no sabe hacerlo, se la coges y la agitas como si fuera de verdad un muñeco.

Conversaciones con otros adultos: el intérprete

Cuando tu bebé empieza a decir varias palabras más o menos seguidas, hacia el año y medio o los dos años, tu cerebro desactiva la función de ventrílocuo y activa la de intérprete. Ahora, cuando te encuentras con la vecina, el niño interviene en la conversación de vez en cuando, pero tienes que traducirlo todo, porque sólo los que pasan más tiempo con él entienden su lengua de trapo. Para los demás, suena a una serie de sílabas sin mucho sentido.

VECINA: ¡Hola, Paquito! ¡Qué guapo estás! ¿Te portas bien?

PAQUITO: *Tí.*

VECINA: ¡Ay, qué rico, mira cómo habla! ¿Adónde vas con mamá?

PAQUITO: A *tompa tutes.*

TÚ: Dice que vamos a comprar dulces.

VECINA: ¡Ay, qué gracioso! Y el colegio, ¿te gusta el colegio?

PAQUITO: *Tí, peo* hoy *teto ma tidado* la *tia atul* a la *bota.*

TÚ: Dice que Sergio le ha tirado la silla azul y le ha dado en la boca.

VECINA: ¡Ay, pobrecito! Bueeeeeno, que te lo pases muy bien con mamá.

TÚ: Anda, Paquito, di «adiós».

Paquito mira muy serio y hace adiós con la mano.

Conversaciones con otros adultos: el piloto automático

Otra función que se activa cada vez que tratas de mantener una conversación con un adulto mientras el niño está contigo es la del piloto automático, combinada con la del radar para detectar la posición del niño y la del sexto sentido para intuir la cercanía del peligro. Es algo así:

> Tú: ¡Cuánto tiempo sin verte! ¿Qué tal estás?
>
> AMIGA: Bien, bien. Pero estamos en un apartamento porque estamos haciendo obras en casa.
>
> Tú: ¿Ah, sí?, qué bien. ¡David, deja a tu hermana en paz! Me decías que obras...
>
> AMIGA: Sí, estamos cerrando la terraza y...
>
> Tú: Ah, sí, la terraza. ¿Dónde está Elisa? ¡Natalia, devuélvele eso a tu hermano! ¿Terraza?
>
> AMIGA: Sí, y cambiando el parquet.
>
> Tú: Ajá, parquet, espera un momento, que no sé dónde está Elisa...
>
> Tú: ¿Amiga? Pero ¿ya te vas? ¡Si no hemos terminado de charlar!

Tus hijos tienen más vida social que tú

Asúmelo. Tu hijo de cuatro años tiene más vida social que tú. Van al parque para que juegue con sus amigos. Van a jugar a casa de un amigo del colegio, o de los primos. La invitan a fiestas de cumpleaños. De hecho, su vida social se convierte en la tuya, y ves y hablas más con las madres de sus amigos que con tus propios amigos.

Sustituyes el bar en el que quedabas habitualmente con tu grupo por el parque donde se celebran la mayoría de los cumpleaños del colegio. Con un poco de suerte, te podrás tomar una coca-cola y, ya, en exceso, hasta algo con alcohol. Aunque no siempre apetece a las cinco de la tarde de un miércoles, he visto a madres aferradas a la cerveza del Burger King como si se les fuera la vida en ello. Si te pones en plan *gourmet*, puedes picar unos gusanitos y unas papas o comerte las sobras de tarta de chocolate plastificada de tu niño, aunque algunos padres tienen el detalle de llevar sándwiches y bocadillos para los adultos.

Las conversaciones se mantienen, por supuesto, en modo piloto automático, pero, además, a gritos, porque el volumen de ruido de estos sitios, con todos los niños hiperexcitados, es insoportable. Cada dos minutos, todos los adultos estiran el cuello para ver cuál es el que llora esta vez, al tiempo que controlan por dónde anda el hermanito pequeño, que gatea peligrosamente entre la horda de mayores.

Pero, pasados un par de años, llega un momento milagroso en el que tu hijo puede volar solo, y sabes que no pasa nada porque se quede al cuidado de los monitores. Así que le dejas en el cumpleaños, casi sin despedirte, y sales pitando para aprovechar esas dos horas de libertad y hacer todos los pendientes de la semana. Si te da tiempo, hasta puedes cortarte el pelo o depilarte.

De Cecilia a la mamá de...

No solo tu vida social se ve abducida por la de tus hijos. También tu nombre. En la zona residencial, o a la salida del colegio, soy, salvo para un puñado de padres y madres, «la madre de...». No me sienta mal en absoluto porque a mí también me pasa. No sé por qué extraño mecanismo de nuestros cerebros, conseguimos recordar los nombres de todos los amiguitos del parque o de clase, pero olvidamos inmediatamente los de los padres. También es que muchas veces ni nos preguntamos cómo nos llamamos.

En nuestra zona residencial, viven al menos un centenar de niños de entre cero y diez años. Me sé el nombre de casi todos ellos. Pero no sé cómo se llaman ni la mitad de sus padres. Y la verdad es que me da vergüenza preguntarlo a estas alturas, después de tantos años viéndonos a diario en las épocas en las que hace buen tiempo.

En el celular, los números de las madres de compañeros de clase de David empiezan por *Colegio*, seguido por su nombre y por la añadidura *mamá de X*, porque así, de buenas a primeras, no reconocería el nombre solo.

Planes familiares con amigos con niños

Si tienes amigos o parientes con hijos de edad parecida a la de los tuyos, puede que tengas la tentación de quedar todos juntos pensando que así podrán verse y charlar tranquilamente mientras los niños se entretienen entre ellos. Aquí hay un error de concepto. Olvídate de charlar tranquilamente durante varios años. Si quieres hacerlo, encargárselos a alguien.

Nosotros nos vemos con frecuencia con Eva, una amiga mía de la infancia; su marido, Miguel, y su hijo, César, que tiene dos meses más que David. De hecho, salimos con ellos desde que ambos eran bebés, así que los niños se divierten mucho juntos. Esto no quiere decir que podamos charlar tranquilamente, porque son muchos y revoltosos, pero por lo menos sabemos que se llevan bien.

Pero no siempre sucede que te ves más con tus amigos con hijos. He perdido el contacto frecuente con casi todos los demás, comidos por el día a día. De modo que, cuando al fin nos vemos, resulta que los niños son unos desconocidos entre sí, a veces no congenian y tardan un buen rato en jugar juntos, si es que lo hacen.

Estas salidas me dejan una sensación agridulce. Por un lado, se agradece que hayamos podido vernos, da alegría, después de tanto tiempo, ver cómo han crecido los pequeños y siempre se rescatan viejas anécdotas que nos devuelven por un rato la complicidad. Pero, por otro, te das cuenta de que en realidad has estado casi todo el tiempo con el piloto automático puesto, sin llegar a ponerte al día de verdad, mientras has atendido a un niño o a otro. También te das cuenta de que te estás perdiendo los momentos más importantes de la vida de unos amigos con los que antes compartías el día a día, y que ya apenas sabes de ellos. Esperemos que sea cuestión de tiempo.

Los de los demás siempre se portan mejor

En estas reuniones con otros amigos con niños, o cuando sales a algún sitio en el que hay más familias, te das cuenta de una ley inmutable: los de los demás siempre se portan mejor.

Mientras que los demás niños comen tranquilamente sentados en el restaurante, o eso te parece, los tuyos se levantan, gritan, corren o se niegan a comer. Mientras los demás hacen fila tranquilos en el parque de atracciones, los tuyos se te cuelgan de los brazos y dicen lloriqueando que se aburren.

En realidad, es un efecto óptico de supervivencia. En una situación social, sólo observas y escuchas con detenimiento a tu prole y, encima, con la mirada del vigía que espera un desastre. A los demás niños del entorno, los miras de pasada, sin detenerte ni reconocer las señales de que algo se cuece, a menos que los sorprendas con las manos en la masa.

Eso sí, cuando ves a alguien más inquieto y con unos padres más agobiados que tú, respiras aliviado. Por lo menos, tus pequeños no van a estar solos en el reformatorio. Y es mejor todavía cuando ves a alguno muy inquieto y con unos padres que ni se han enterado de lo que ha hecho o que no le hacen ni caso. Puedes criticarlos a gusto por indiferentes y por no educar a sus hijos. Desahoga un montón.

El infierno del parque

Que no se molesten vecinos ni conocidos del colegio, pero en casa Edu y yo llamamos a bajar al parque *bajar al infierno*. No es que sea tan malo; de hecho, los primeros años no lo llamábamos así. Pero es como una condena que tendrá hipotecadas tus tardes al menos los primeros seis años y un día de vida de cada hijo. Lo único que te salva es el mal tiempo, pero entonces tienes que sufrir el arresto domiciliario con los niños, normalmente en un departamento pequeño. Gracias, Dios, que nos has dado la tele.

Vuelvo al parque. Al principio, el primer día, te hace mucha ilusión. Paseas con el carrito mientras el bebé, recién nacido, duerme. Miras a los demás niños y te imaginas jugando con el tuyo dentro de nada. Al segundo día ya empiezas a descubrir que todavía no pintas nada ahí y que puedes aprovechar el paseo para ir al supermercado. Así que aplazas la experiencia del parque hasta dentro de unos meses.

Vuelves a hacer un pequeño intento cuando el tamagotchi parece que tiene algo de conciencia, observa y se ríe. Pero descubres, demasiado tarde, que, si no sujeta la cabeza, no es buena idea tirarlo por el tobogán.

Lo dejas hasta que ya se sienta más o menos solo. Si el parque es de esos acolchados, o permaneces en el césped, puedes estar un poco más tranquilo aunque vuelque o se ponga a gatear. Si es de arena, tendrás que prestar algo más de atención porque si pierde el equilibrio, se puede quedar incrustado y comerse todos los granos que no se ha comido antes por voluntad propia.

Aunque la arena tampoco es tan mala comparada con otras cosas que se puede comer. Natalia era muy cautelosa, y cuando la miraba fijamente, después de haber visto de reojo cómo se metía algo en la boca, se quedaba quieta, disimulando, para que no le sacara la piedra que estaba chupando como si fuera un caramelo.

Si sobrevive a las catas de nuevos alimentos, será pisoteado por los niños un poco más grandes que le pasarán por encima sin piedad.

Tampoco mejora la cosa si intentas subirlo nuevamente en el tobogán. Llorará o pondrá cara de susto. Al final, te lo tendrás que quedar en brazos mientras hablas en modo piloto automático con tus primeros conocidos en el parque. No tengas prisa por integrarte, en unos meses, más o menos hacia el año, no podrás hacer otra cosa.

A partir de entonces, tienes dos misiones principales: impedir que se mate e impedir que mate a otros niños. Al mismo tiempo, tienes minimisiones, como enseñarle a compartir, a pedir perdón, a no llorar cuando quiere algo, y mostrar a los demás padres que te preocupas y que mereces un sitio en el ecosistema Parque.

Por supuesto, la cosa va mejorando con el tiempo. Hacia los dos años, ya no tienes que estar permanentemente encima por si se desnuca, aunque es el momento álgido del «mío, mío», acompañado de empujón o manazo si alguien no reconoce sus derechos de posesión. Poco a poco se irá alejando cada vez más, mientras tú también te permites estar cada vez más tiempo sin tenerlo a la vista, hasta que un día te pide bajar solo.

Compañeros en el infierno

Cuando bajas al infierno del parque, descubres que hay tantos tipos de crianza como familias. Que todos se enfrentan a los mismos problemas cotidianos, lo que consuela bastante, pero que cada uno llega a sus propias técnicas de supervivencia. Con algunos estarás de acuerdo, o incluso les copiarás, mientras que otros te parecerán terribles. También comprobarás cómo, en el propio infierno, hay tipos completamente distintos de inquilinos, todos unidos por una condena común.

Los INTERVENCIONISTAS. Persiguen a sus hijos para todo: para que se abriguen más porque hace frío; para que se desabriguen porque están corriendo y sudando; para que merienden porque, si no, no van a crecer; para que no pidan galletas a los demás padres porque, si no, no cenan; para que dejen sus juguetes a los demás niños porque hay que compartir; para que no cojan los juguetes de los demás niños porque hay que respetar lo de los demás...

Los ANIMADORES INFANTILES. No sólo juegan con sus hijos, sino que lo hacen con todos los demás de la zona residencial o el parque. Y no es que lo hagan en plan: «Vaaaaale, juego contigo un ratito al fútbol», sino que organizan ellos mismos el partido y, si te descuidas, traen camisetas, el balón reglamentario e incluso un árbitro federado. Son superenrollados, y tus hijos se saben sus nombres y los buscan a ellos antes que a ti.

Los INDIFERENTES. Bajan porque tienen que bajar, pero se

concentran tanto en charlar con otros padres o en mirar el celular
que parece que han salido sin niños. Sus hijos son unos supervi-
vientes, lo mismo destrozan las flores que mojan todo el baño de
agua o golpean a los demás niños. El caso es que ellos nunca se
hacen daño.

Los DE LA VENTANA. Tienen hijos de seis o siete años, o más
pequeños pero con hermanos mayores, que ya bajan solos al pa-
tio de la zona residencial. A veces bajan un rato después, pero
otras se limitan a echar un ojo de vez en cuando por la ventana o
a dar instrucciones a través del telefonillo. Algunos estaban antes
contigo en el infierno y parece que han ascendido al purgatorio.
A otros no los has visto jamás. De hecho, crees que los niños viven solos o con la niñera.

15
EL PEDIATRA

«Le diría: "¡Quiero que vivas conmigo!"»

María Jesús, madre de Clara,
de tres años

Cita a ciegas

Cuando nace tu primer hijo, tu familia aumenta. Ahora son dos más: el bebé y su pediatra. De repente, entra en sus vidas una persona hasta entonces desconocida, a la que los primeros meses es probable que vean más que al resto de sus parientes, cuya opinión tendrás más en cuenta que la de tu pareja y en cuya consulta pasarás casi tanto tiempo como en tu casa.

Es como una cita a ciegas: al principio, empezarás probablemente con el que te asignen en la primera revisión. Si te gusta, estupendo. Pero si no te convence, le puedes dar una oportunidad, a ver si en una segunda cita se confirma la primera impresión o hay más *feeling*. Si sigue sin convencerte, busca otro. En la atención médica privada se puede elegir al médico de atención primaria, al pediatra y a la enfermera. Si tienes seguro público es probable que también puedas hacerlo. Para no ir a ciegas, no está mal contar con alguna celestina, algún padre o madre que esté contento con su pediatra y te lo recomiende.

A lo mejor piensas que lo importante es que el pediatra sepa mucho de medicina y que da igual que no haya química. En fin, no tienes que coincidir en el equipo de fútbol o en tu comida favorita, pero no está mal que por lo menos te caiga bien, que sea amable con el niño y que tengan ideas similares en cuanto a la crianza. Porque cuando eres padre primerizo, no hay nada que mine más la moral que salir de la consulta con la sensación de que el pediatra te echó la bronca.

Pediatras que he desechado hasta encontrar a la actual: el que tenía las uñas más largas y negras que mi hijo; la que me dijo, sin razón alguna, que le diera una «ayudita» de biberón a la niña; el que era más antipático que Mariano Rajoy desde una pantalla de plasma; el que me miró con cara de pocos amigos y me despachó más rápido que el cajero del McDonald's.

Pediatras con los que he tenido una relación estable: José María, que era cercano y afable, se tomaba su tiempo para examinar a los niños y explicarnos, y siempre tenía una paleta —sin azúcar— para ellos. Nuestra relación terminó por razones ajenas a nuestra voluntad, pero durante el tiempo que lo tuvimos, los niños lo conocían por su nombre e iban contentos cuando teníamos que visitarlo. Y la de ahora, María José, que nos tocó en el cambio de centro de salud. Amable y concienzuda, nunca he tenido la sensación de que nos atendiera con prisas, pese a la cantidad de *clientes* que le corresponden. Incluso nos ha llamado por teléfono a casa para interesarse por alguno de los niños cuando ha habido alguna situación excepcional.

Gran plan: tarde en la consulta

Ni recuerdo la de veces que llevamos a David al pediatra cuando era un bebé. Aparte de para las revisiones normales y las vacunas (muy necesarias, pero hasta que cumple los dieciocho meses, una verdadera molestia), cada vez que le pasaba algo que nos parecía fuera de lo normal o preocupante, para allá íbamos. Tanto que la consulta era como nuestra segunda casa.

¿Qué mejor sitio para pasar la tarde? Fresquito en verano, calentito en invierno, con unos juguetitos para los niños, incluso un acuario con peces... Nos llevábamos la merienda y todo, y nos íbamos toda la familia, para estar juntos durante la espera.

En realidad, no eran más que agobios de primeriza: algo de fiebre, tos, mocos, reflujo, legañas pegajosas, picaduras que reaccionan, dermatitis... Nunca fue nada grave y, de hecho, es un niño que se enferma poco. Eso sí, yo salía de ahí con una receta, que muchas veces ni siquiera comprábamos o que luego ni le dábamos porque ya nos habíamos quedado tranquilos con la visita. Y quizá salíamos también con los virus de alguno que otro compañero de sala de espera.

Con Natalia fuimos espaciando las visitas, aunque también recuerdo alguna movilización familiar con los dos en la sala de espera. Y con Elisa, apenas vamos. Por suerte, suelen tener buena salud. También han contribuido, aparte de la experiencia, las nuevas tecnologías y un grupo de pediatras que están enganchados a las redes sociales, y de los que hablaré más adelante, que me han ayudado a concienciarme de que no siempre es necesario salir corriendo al médico.

La pediatría no es una ciencia exacta

El niño tose mucho, tiene mocos de esos que parecen muy feos y algo de fiebre. Vas con el pediatra de guardia o a urgencias. Lo auscultan, te mandan un jarabe mucolítico o incluso un antibiótico y te despachan para la casa. La siguiente vez, te toca otro médico. Te manda muchos líquidos, lavados nasales con suero y para la casa.

Estas diferencias de criterio, que a los que no somos profesionales de la salud nos desconciertan, pueden darse con mil temas: la diarrea (dieta blanda o que coma lo que quiera), la lactancia (ponerle más al pecho o darle una ayudita de biberón), el orden y la edad de introducción de alimentos, el estreñimiento...

¿A qué se deben? Aparte de que hay médicos que tienen unos conocimientos más actualizados que otros en determinados campos (un clásico es la lactancia materna, que, según quien te toque, te puede dar consejos completamente contradictorios con los de otro), los propios pediatras explican que muchas veces se acaba sobrerrecetando por la propia presión de los padres, que no se conforman con la explicación más simple y frecuente: que el niño tiene un virus y hay que esperar a que se cure solo. Te cuentan que, agobiados que tienen que cumplir con una cuota de niños en consulta, es más fácil dar una receta que explicar durante cinco minutos por qué ésta no es necesaria a unos padres que no escuchan y que vuelven una y otra vez por lo mismo.

Y es verdad que nos cuesta mucho aceptar que no hay una pócima mágica que cure a nuestro pequeñín. ¿Quién no ha escuchado eso de «este médico no tiene ni idea. Dice que es un virus sin foco y no me ha mandado nada»? O «no me quieren mandar antibiótico y, claro, está fatal. Mañana lo llevo de nuevo».

Nosotros, en la época en la que vivíamos en la consulta, tuvimos sentimientos encontrados: por un lado, llevábamos al niño a que le echaran un vistazo y nos confirmaran que no tenía nada grave, pero, al mismo tiempo, nos resistíamos, intuitivamente, a medicarle más allá de los antipiréticos de toda la vida. Todavía tenemos en casa varios frascos de jarabe que nos recetaron y que no llegamos a abrir.

Doctor Internet

¿Recuerdas que durante el embarazo *googleabas* todos tus síntomas para ver si eran normales y consolarte con el sufrimiento de otras como tú? Por supuesto, cuando nazca tu bebé, lo seguirás haciendo, incluso por partida doble: antes de ir a la consulta, para intentar tranquilizarte o justificar la necesidad de ir por la gravedad de los síntomas; y después, para confirmar con más fuentes lo que te acaba de decir el pediatra. La dificultad es, como siempre sucede en Internet, discriminar la información buena de la basurilla y el ruido, y más si se trata de temas de salud.

Por suerte, cada vez hay más páginas con información médica asequible y fiable. Para empezar, las de las asociaciones oficiales de pediatría o las de algunos hospitales, fundaciones u organizaciones. Aquí dejo algunas:

American Academy of Pediatrics (en inglés): <www.aap.org/en-us/Pages/Default.aspx>.

KidsHealth (en inglés, aunque algunos artículos están en español): <kidshealth.org/parent/>.

Organización Mundial de la Salud: <www.who.int/topics/es/index.html>.

Además, hay unos cuantos blogs escritos por pediatras de a pie que aúnan la experiencia con un lenguaje más coloquial y, a veces, sentido del humor y anécdotas con las que los padres nos sentiremos retratados:

«Diario de una mamá pediatra»: <dra-amalia-arce.blogspot.com>.

«Mi reino por un caballo»: <laincubadora.blogspot.com.es>.

«La consulta sin cita»: <laconsultasincita.com>.

«Reflexiones de un pediatra curtido»: <drgarcia-tornel.blogspot.com.es>.

«El médico de mi hij@»: <elmedicodemihijo.wordpress.com>.

El autor de este último, Jesús Martínez, es el artífice de uno de esos inventos que hacen felices a las madres recientes e informatizadas: un grupo de Facebook con el mismo nombre, «El médico de mi hij@», un foro en el que charlar, consultar y debatir sobre lo que nos preocupa de nuestros hijos con otras madres, pero, además, con pediatras y otros profesionales (psicólogos, educadores...) que participan con comentarios, respuestas o enlaces de artículos, todo en un lenguaje claro y en un tono informal. Hablo de *madres* porque, como me confirma el propio Jesús, la gran mayoría de sus más de 12 mil miembros son mujeres, al igual que los que acuden a su consulta, en un pueblo de Madrid.

Martínez tiene más de veinte años de experiencia como pediatra y también es un adicto a las nuevas tecnologías. Activo bloguero, usa todas las herramientas a su alcance, incluidos Twitter y Facebook, para su gran pasión, la educación en la salud. Sus conocimientos también los ha plasmado en un libro publicado recientemente, titulado, cómo no, *El médico de mi hijo*.

Jesús y los demás pediatras que contestan gratuitamente y sin horarios a las dudas que surgen en el grupo de Facebook me han quitado muchos miedos, sobre todo a la fiebre, la tos y los mocos; me han enseñado que los jarabes para la tos y para fluidificar los mocos no curan a los niños y tienen efectos secundarios peores que sus posibles beneficios; y me han ahorrado unas cuantas carreras innecesarias a la consulta o a urgencias. Su objetivo es enseñar a los padres a actuar y a ver cuándo es realmente necesario acudir a la consulta. «La vía del ahorro en Sanidad es empoderar a la población, darle conocimientos, recursos y autonomía en lugar de ponerle a cada uno un pediatra debajo de casa», es una de las frases de Jesús. Y tiene mucha razón.

El grupo sirve para hacer frente a dudas que muchas veces se resuelven con sentido común o experiencia, pero que, en pleno ataque de pánico, te hacen subir al coche y plantarte en el centro de salud. O para situaciones en las que no sabes si esperar a ir tranquilamente a la consulta en un par de días o colarte sin cita. O para recabar experiencias de otras familias sobre problemas de alimentación, sueño, pañales, riñas con amigos del colegio o incluso recetas o manualidades. El gran enemigo, como siempre en los foros de Internet, son los debates interminables y circulares que acaban como el rosario de la aurora. Y que el grupo se haga tan grande que los pediatras no se den abasto.

La fiebre es mi amiga. Y la tuya

Este mantra es uno de los que tratan de inculcar Jesús y el resto de los pediatras del grupo. Y es que la fiebre es el motivo más habitual por el que se acude a la consulta en pediatría, hasta en el 50 por ciento de las ocasiones, según calculan. Y en mi caso es verdad. Siempre que uno de mis pequeños se pone más calentito de lo normal, me lo tengo que repetir: «La fiebre es mi amiga. La fiebre es mi amiga. La fiebre es mi amiga». Normalmente, el mantra anterior viene seguido de un cruce de miradas con Eduardo y de la pregunta, pronunciada por cualquiera de los dos: «¿Qué hacemos, vamos a que el pediatra le eche un vistazo?».

Pero cada vez más veces resistimos el impulso de ir a urgencias y, en su lugar, hacemos lo que aconsejan los médicos cuando no hay más síntomas que la fiebre: quedarnos en casa y esperar a ver cómo evoluciona.

Normalmente, la evolución es que la fiebre se espacia cada vez más, y a los dos o tres días te das cuenta de que el niño está como una rosa, con mocos y tos, pero como una rosa. Y te has ahorrado una visita al pediatra, en una sala de espera llena de gérmenes, y que te digan: «Es muy pronto, probablemente será un virus. Dalsy (ibuprofeno) o Apiretal (paracetamol) cada seis u ocho horas y mucho líquido, y vuelve en un par de días si no le ha bajado».

«La fiebre es la reacción que tiene nuestro organismo para defenderse de los ataques externos. Si el cuerpo sube la temperatura, el germen atacante está más incómodo, se reproduce menos», explica Jesús. Por tanto, es una aliada. Sin embargo, desde que se generalizó el uso de los termómetros, se ha extendido la «fiebrefobia», una obsesión por que no suba la temperatura. En realidad, lo que hay que tratar es el malestar que puede llevar aparejada la fiebre, pero no la temperatura en sí. Es decir, se le da el antipirético si está llorón, irritable, porque estará incómodo o le dolerá el cuerpo, igual que a ti cuando estás enfermo. Pero si está tan tranquilo con 40 ºC, no hace falta bajarle la fiebre. Y, tranquilos, que ni produce meningitis ni te puede freír el cerebro.

En cuanto a las temidas convulsiones, Jesús explica que «aparecen por variaciones bruscas de la temperatura, es decir, porque sube muy rápidamente la fiebre o porque la bajamos muy rápidamente». En estos casos, aunque se pasan a los pocos minutos, «te llevas el gran susto porque el niño se pone morado y no respira, pero no puedes hacer nada, más que llevarlo al médico a que lo vean y te tranquilicen».

¿Y cuándo hay que ir al pediatra? Si hay fiebre en estas circunstancias:

—Si el bebé es menor de tres meses, porque puede haber una infección oculta, como la de orina.
—Si se prolonga tres o cuatro días sin otro síntoma.
—Si muestra una gran irritabilidad, no para de llorar, tiene un comportamiento raro.
—Si está absolutamente decaído, no se espabila, tiene un color raro, no come nada.
—Si presenta una dificultad respiratoria grave.

En resumen, la fiebre no es mala de por sí, al contrario, es un arma de nuestro cuerpo para controlar las infecciones. Así que repite conmigo: «La fiebre es mi amiga. La fiebre es mi amiga. La fiebre es mi amiga».

16
CUANDO TIENES MÁS DE UN HIJO

«A un niño lo encargas; a dos, bueno; pero a tres...
Tienen que quererte mucho para quedarse con los
tres. Y nadie te quiere tanto».

MONTSE, madre de José, de nueve años;
de Manuel, de siete, y de Gonzalo, de casi seis

Hay amor para todos, pero no brazos

Una de las cosas que me preocupaban cuando estaba embarazada de Natalia era si iba a poder quererla tanto como a David. Porque quería tanto a David que no me podía imaginar sentir lo mismo por otro bebé. Pero cuando llegó, se me quitaron las dudas. Pasada la vorágine y la extrañeza de los primeros días, todo se va asentando, tomando su sitio, y es como si la recién nacida siempre hubiera estado aquí. Ya me lo había dicho una vecina, Gloria: «Es como si el corazón se te hiciera más grande para que quepan los dos».

Eso sí, nunca se me olvidará la primera vez que vi a David después de que nació su hermanita. Llevaba dos días sin verlo, en el hospital, dedicada a cuidar de una diminuta recién llegada, cuando mi niño vino de visita. Y, de repente, me pareció que era mayor. Pero realmente mayor. Me lo pareció hasta en la cara. Y sólo tenía dieciocho meses.

Desde entonces, los hemos querido a los tres, sí, para eso no ha habido problemas. Pero hemos tenido que aprender a hacer malabarismos, tanto físicos como mentales, para atenderlos a todos al mismo tiempo. Porque el corazón se hace más grande, pero los brazos no se multiplican. Y hay ratos en los que diría que el cerebro incluso se encoge.

En una ocasión escuché a una madre decir a sus dos hijos: «Tengo sólo dos brazos, así que sólo puedo tomar a uno de cada mano». La explicación tiene su lógica, y es que, a veces, echas de menos un superpoder que te convierta en pulpo.

Como al principio, cuando uno llora y el otro también. Cuando paseas con el mayor y se empeña en que lo lleves en brazos, y la pequeña tiene un berrinche en la carriola y también la querrías cargar, pero ya llevas al mayor. O cuando le estás dando el pecho al bebé, y el mayor quiere jugar y no entiende que no puedes.

Pero después también. Cuando llegas a casa del trabajo y David quiere que juegues con él al fútbol, Natalia, que veas sus dibujos y Elisa, que le des teta. O cuando te llaman los tres a la vez, cada uno por una cosa distinta, desde un sitio distinto. O cuando tienes que cambiar a Natalia, a Elisa y a ti misma para la clase de natación y matronatación, y después, ducharse las tres y vestirse en el mismo tiempo en el que algunas parejas tardan en preparar a uno solo. *Gestión de equipos*, lo llaman en las empresas. ¡Ja! Tendrían que pararse por mi casa.

El primero, el conejillo de Indias

Tu primer hijo es experimental. Vamos, un conejillo de Indias. Aunque creas que tienes las ideas claras, que lo sabeis todo, que te informaste bien o que el instinto suplirá el resto, tu hijo sufrirá en carne propia las dudas que te surjan —que te surgirán—, las nuevas teorías de crianza, los cambios de criterio cuando algo no funciona o los productos revolucionarios para bebés.

Aunque suene un poco feo, es un proceso de prueba y error en el que el hijo mayor es la avanzada, el que corre más riesgo de pisar la mina. Y, a la vez, es el que tiene los progenitores más neuróticos. Porque aunque crean que van a ser ecuánimes a más no poder, olvídenlo. «No conozco a dos niños con los mismos padres, aunque vivan en la misma familia», describe muy certeramente Gail Gross, experta en comportamiento humano y educación.*

Y es que con el primer hijo, nos desvivimos. Primero, por-

---

* <www.huffingtonpost.com/dr-gail-gross/how-birth-order-affects-personality_b_4494385.htm>.

que podemos, no tenemos otro niño que nos distraiga. Segundo, porque, aún inseguros en esto de la paternidad, creemos que se romperá si se cae, se atragantará si come sólido y se pondrá mal si no lo abrigamos hasta las cejas. Y tercero, porque no confiamos en sus capacidades y pensamos que necesita que se lo demos todo mascadito.

Estamos pendientes de cada cosa nueva que hace, de cada herida, de cada caquita, de cada sonrisa, de cada pasito y palabra que dice. Es el que estrena ropa y juguetes. Es al que más veces cambiamos el pañal, el que más tiempo usa Dodot en vez de pañales de marca blanca y al que más fotos tomamos. Es el que bebe agua en un vasito de aprendizaje antiderrames hasta los dos años. El que chapotea con patitos en la bañera hasta que le salen los primeros pelos. Al que ayudamos a cambiarse la ropa hasta el servicio militar. Es el que más tarde prueba el chocolate y las golosinas, y el que tiene que luchar porque lo dejen llegar tarde a casa.

A David, como hijo mayor, le ha tocado ser el *estivillizado* de la familia. Fue el que menos tiempo estuvo durmiendo en nuestro dormitorio y al que más tiempo dejamos llorar. También el que era expulsado a otro cuarto cuando hacía una rabieta. Fue el que chupó más cosas esterilizadas.

Por él me peleé infinidad de veces con mi madre porque creía que era una barbaridad que le diera fideos con huevo o cosas que se salieran de lo que había leído en libros o me había dicho el pediatra. Por supuesto, fue el destinatario, con poco éxito, de mis experimentos culinarios en el mundo del puré infantil, y el que comió triturados y papillas más tiempo.

También fue el que cada vez que tosía acababa en urgencias. El que iba más abrigado. El que, cuando nos íbamos de viaje, dormía en una minitienda de campaña que me vendieron como el sustituto perfecto de la cuna de viaje, a ras de suelo y detrás de una mosquitera que se cerraba con cierre. La llamábamos la *tienda del grito*, de lo mucho que protestaba siempre que lo metíamos en ella...

Pese a todo esto, parece que la estimulación y atención adicional que reciben los hijos mayores los beneficia. El perfil del primogénito se suele describir como el del triunfador, alguien muy responsable, cuidadoso y perfeccionista: más de la mitad de los presidentes de Estados Unidos eran hijos mayores o 21 de los 23 primeros astronautas. Incluso, según un estudio realizado por la Universidad de Oslo en 2007 sobre 250 mil reclutas, el mayor tiene un cociente intelectual 2.3 puntos por encima del segundo, y este aventaja en 1.1 puntos al tercero.*

Vamos, más inteligentes, aunque, y lo digo bajito, no me vayan a leer, un poco más sosos.

Segundos y siguientes, esos listillos

«Hay que ver qué espabilado está tu pequeñín. Cómo se nota que es el segundo/tercero», es una frase muy habitual que se dice a los padres con respecto a su segundo o tercer hijo. Y la respuesta más usual: «Es que se crían solos». Bueno, solos solos tampoco, que si fuera así, no pasarías años pensando que no te da la vida. Pero es verdad que aprenden a arreglárselas por su cuenta mucho antes.

Entre que tienes menos tiempo para ayudar a cada uno, y su afán por imitar al hermano mayor, en casa, primero Natalia y después Elisa, van quemando etapas a gran velocidad. Por ejemplo, David empezó a vestirse solo hacia los cuatro años y medio, y a ducharse a los cinco. Y, al mismo tiempo, ahí que fue Natalia, pero con año y medio menos. Y Elisa..., a quien lo único que le cuesta, con dos años y tres meses, es quitarse las camisetas. Por lo demás, se desviste sola y se cambia la pijama. También se ducha y se enjabona desde los dos años, sólo necesita un poco de supervisión.

Con los segundos y los siguientes, somos menos rígidos en todos los aspectos. Porque cuando compruebas, con el mayor, que

---

* <www.elpais.com/diario/2007/12/05/sociedad/1196809215_850215.html>.

eres capaz de mantenerlo con vida, te vas relajando: ahora ya no pasa nada porque no se esterilice el biberón, ni le echas tanta crema en las nalgas. Sabes que no le saldrán ronchas si usa pañales de marca blanca o si le bañas con gel del supermercado en lugar de usar el de farmacia. Que puede beber desde el principio de una botellita o un vaso, aunque alguna vez se le derrame el agua. Y que no va a morir envenenado ni va a desarrollar una enfermedad súbita porque la abuela le dé una cucharadita de café o porque se coma una onza de chocolate cuando se la coman sus hermanos.

En eso salen ganando, sin duda. Por contra, pierden claramente en el aspecto material: Natalia ha estrenado ropa porque era chica, pero desde que nació lleva pijamas y calcetines de chico o unisex. A Elisa la hemos convencido de que tiene muchísima suerte porque la ropa que antes llevaron David y Natalia les queda pequeña y ahora ya se la puede poner ella. Y ella tan contenta. Es pronto para saberlo, pero siento que tampoco va a estrenar bici ni patines.

El perfil que trazan los psicólogos de los segundos o terceros es el de niños con mayores habilidades sociales, aunque diferencian a los medianos, grandes negociadores, cooperadores y flexibles, pero más faltos de atención, de los pequeños, más independientes, seductores y dados a carreras creativas.

¡Ahora yo, ahora yo!

Aparte del sensor de altura de cuando eran bebés, mis hijos tienen otro detector: el de que estás haciendo algo divertido con otro de los hermanos. Da igual que no te hayan hecho ni caso cuando has vuelto a casa porque estaban en lo suyo. En el momento en el que empiezas a hacer algo con alguno de ellos, al medio segundo aparecen los otros dos diciendo: «¡Ahora yo! ¡Ahora yo!», colgándose de tu brazo y enfadándose si no les toca inmediatamente.

Léase por *algo divertido* hacer el avión, el jamón (tomar de los pies al niño y andar con él boca abajo), cosquillas, jugar al fútbol en el pasillo, pintarse las uñas o cascar los huevos para la cena. Es decir, cosas normales, pero que ahora siempre tienen que hacerse de tres en tres.

Para todo lo que parezca un privilegio, como elegir los dibujos animados o la canción que se escucha en el coche, hay que establecer turnos desde el principio, so pena de enfado. Y aun así acaban enfurruñados muchas de las veces.

El tema de los celos y las peleas es peliagudo. Todavía recuerdo sentir celos de mi hermano, tres años mayor, y las broncas que se armaban por eso. Y a mi madre diciendo lo mucho que sufría cuando nos peleábamos, a veces a cachetada limpia.

Tenía razón: una de las cosas que peor sobrellevo es cuando se enfadan entre ellos y una de las que más me gustan es cuando, en una extraña conjunción espacio-temporal, están dos, o incluso los tres, jugando juntos. Entonces, los miro sonriendo, pero poco, no se vayan a dar cuenta y se fastidie el momento.

Da igual. En el instante menos pensado, vuelves a oír un grito, un llanto, viene uno corriendo a acusar. Y aterrizas de nuevo en el mundo real, el de los árbitros de boxeo.

Dos se portan mucho peor que uno más uno

Cuando hay niños en casa, las matemáticas no funcionan. Porque cuidar de dos niños no es como cuidar de un niño más otro niño. Ni cuidar de tres es igual que cuidar de uno más otro más otro. Qué va. Es mucho peor.

Un niño, solo, puede ser más o menos travieso. Pero tú, adulto, puedes ponerte a su altura en un sitio tranquilo, hablar con él, mirarle a los ojos. Y si la cosa se pone difícil o te sale un pequeño fugitivo, siempre tienes dos piernas para perseguirlo y dos manos para capturarlo e inmovilizarlo.

Pero cuando son dos, se retroalimentan. ¿Qué quiere decir? Que interactúan, y uno reacciona ante lo que hace el otro, y ese otro reacciona a su vez ante lo que hace el primero. Resultado: que si uno está de humor graciosillo, o provocador, o gamberro, se lo contagia al otro, y así mutuamente hasta entrar en una espiral de la que sólo puedes salir separándolos. No sirve de nada ponerte a su altura y mirarlos a los ojos. Te miran un segundo, luego se miran entre ellos y se mueren de la risa. O intentas hablar en serio con uno, y el otro hace comentarios por detrás.

Escenario: cuarto de los niños, hora de recoger. Natalia coge un listón del pelo y se lo pone en la nariz.

NATALIA: ¡Mirad, un moco!

No digo nada y pongo cara de circunstancias. Según los expertos, hay que ignorar las conductas que no queremos que se repitan.

DAVID: ¡Puaj, un moco!

Natalia se empieza a desternillar. Elisa coge otro listón para hacer lo mismo. David las observa como en un partido de tenis. Nadie recoge.

YO: Venga, Natalia, déjalo ya. Chicos, a recoger que tenemos que ponernos la pijama y cenar.
NATALIA (muerta de la risa): ¡Un mocoooooooooooo!
DAVID: ¡Mira, y un culo!
(Enseña el culo).
NATALIA y ELISA (que han oído la palabra mágica): ¡Culoooooooooooo!
(Y se bajan los pantalones).

No sé si reírme o llorar. Empiezo a recoger lentamente. Los tres se persiguen por el pasillo con los pantalones bajados para darse en el culo. Intento capturar a David, el primero que se acerca. Se escabulle. Agarro a Elisa, que es más fácil, la inmovilizo, la miro fijamente a los ojos: «Hay que recoger». Se muere de la risa y se va corriendo. Me empiezo a sulfurar. Doy palmadas y amenazo con contar hasta tres. Siguen corriendo. «¡Culoooooooooooooooo!» Al final, acabamos con uno, dos o tres castigados, y me siento una aguafiestas, para una vez que estaban jugando juntos sin enfadarse...

Cuando Eduardo o yo nos quedamos a solas con uno solo de nuestros hijos, nos parece que estamos en un retiro espiritual. Es todo tan fácil y tranquilo... Y cuando vemos a una pareja luchando con un único niño, la madre persiguiéndole agobiada por la calle, el padre detrás cargando con la moto, la mochila y la pelota, nos damos con el codo y susurramos: «Qué exagerados, mira que sufrir tanto con uno solo».

El tercer hijo sale muy caro
Así dicho, puede parecer una obviedad, pero no te creas. Tener un primer hijo es caro si compras todo lo presuntamente indispensable, sobre todo la cuna y la carriola. Pero, en realidad, no lo es tanto. Las cosas grandes suelen regalártelas, o las puedes pedir prestadas o comprarlas de segunda mano.

Ya sabes eso de que donde comen dos, comen tres. Pasa lo mismo con dormir (un bebé te cabe en cualquier lado, tanto en su casa como en un hotel) y viajar (hasta los cuatro años no suelen pagar boleto si van en brazos). Sí tendrás un gasto extra elevado si lo dejas en la guardería o contratas a alguien, pero es casi lo único. En lo demás, si sube mucho la cuenta, ya depende de tu forma de vida, de que te dejes convencer para comprar cosas innecesarias o de que seas comprador compulsivo.

Con el segundo, se aplica el término de *economía de escala*. En una empresa, se refiere a las ventajas en costo que obtiene al crecer: cuando se alcanza un nivel óptimo, cada unidad adicional que produce le cuesta menos. En tu casa, significa que puedes aprovechar todo lo que tiene el primero para el segundo, y si son del mismo sexo, mucho más.

Pero el tercero es otra cosa. Yo no me di cuenta hasta que me quedé embarazada de lo caro que resulta pasar de dos niños a tres. Por supuesto que hay algunas sinergias, y puedes reutilizar la ropa, los juguetes, la cuna y la carriola. Pero a veces no, porque, de usarlos con dos niños antes, igual se han roto y tienes que renovar parte de ellos.

Pero no sólo es eso. En muchos coches no caben tres sillitas de niño en los asientos de atrás, así que, si lo usas con frecuencia, vas a tener que cambiar de modelo. Cuando vas de viaje, en muchos hoteles ya no meten a cinco personas, aunque una de ellas sea un bebé, en el mismo cuarto. De modo que o pagas dos habitaciones o acabas en un apartamento. Pagar una guardería o un colegio privado te parece un esfuerzo que vale la pena; pagar dos cuesta, pero es asumible; pero pagar tres... es el sueldo entero de muchas personas. Incluso gastos pequeños, como: «Qué camiseta más graciosa, y solo vale 170 pesos», multiplicados por tres se convierten en: «Ostras, ¿en qué me he gastado 500 pesos?».

Y no, los descuentos por familia numerosa no compensan ni de chiste los gastos extra. Eso sí, por muy cara que nos haya salido Elisa, ¡no la cambiaríamos ni por todo el oro del mundo!

17

COSAS ODIOSAS DE SER PADRES

«Odio no poder dormir en el sofá viendo una peli los días de lluvia».

REBECA, madre de Iker, de cuatro años y medio

Pues sí, las hay. No iba a ser todo momentos de felicidad, eso ya lo ha comprobado cualquiera que haya visto su mundo vuelto del revés con la irrupción de un hijo. Hay muchas preocupaciones y miedos, y también muchas cosas odiosas, de esas que nadie te explica antes de lanzarte a procrear. Para algunos son nimiedades y para otros un suplicio diario. Algunas ya las he mencionado a lo largo del libro, como enseñarles a dormir, las broncas con tu pareja o hacer caca en los servicios públicos. Aquí van algunas más.

Aspirar los mocos a los bebés
Es la única recomendación en la que coinciden todos los pediatras cuando un bebé se pone malo: «Lavados frecuentes con suero fisiológico y aspirado». Así que cuando Elisa tuvo bronquiolitis a los cuatro meses y medio, me sentí como una torturadora. La parte del suero no les suele molestar tanto, más bien ponen cara de sorpresa: abres el botecito, le giras la cabeza a un lado, se lo metes por el orificio de arriba y aprietas para que salga un buen chorro. Si va bien, le sale por el agujero de abajo. Y repites la operación por el otro lado (no te preocupes si lo haces distinto, he leído y oído tantas versiones que no sé cuál es la correcta, el caso es lavarles los mocos sin ahogarlos...).

Lo malo es la parte del aspirado. Hay varios modelos de sacamocos: el primero que tuvimos fue la pera de goma, con una punta de plástico dura perforada que introduces en uno de los agujeros de la nariz. Confieso que nunca aprendí bien el truco, y eso que la técnica debía de ser más simple que la de una sonaja. No me quedó claro si había que meter la punta con la pera apretada, o introducirla y luego apretar la pera, si había que tapar el otro orificio nasal o no... El caso es que a veces conseguía sacar un buen moco verde, pegajoso y grande (a mayor tamaño, más alegría), y otras, no hacía más que mover aire.

Hasta que con Elisa compré el superaspirador nasal. Sin posibilidad de error, porque aquí ¡sorbes tú con tu propia boca! Sólo un minúsculo disco de esponja impide que esos mocos que aspiras con tanta fruición sigan su camino por el tubo de goma y acaben en tu boca como un coctel. Pero lo peor no es eso. Lo peor es ver la cara de pánico de tu bebé mientras le introduces el instrumento por la nariz y sorbes, con la sensación de que le vas a sacar los sesos. Aunque podría ser peor: mi madre me cuenta que cuando mi hermano y yo éramos pequeños, nos sorbía los mocos directamente con la boca y luego los escupía... ¡Puaj!

Por suerte, ya tengo esta fase superada. Tan pronto como pudimos, enseñamos a nuestros niños a sonarse: pañuelo delante y «¡venga, sopla por la nariz!». Pero, como muy pronto, esto lo aprenderán a hacer al año y pico. Así que tienes meses y meses de tortura.

Conducir con un bebé llorando

¿Será mala suerte, los genes, algún castigo divino? El caso es que pasados los primeros cinco o seis meses, en los que se quedaban fritos en cuanto los subía en la *maxicosi*, mis tres hijos lloraban en el coche. Como verracos en plena matanza. A grito pelado, con continuidad y sin razón aparente más que el puro aburrimiento. No es que se marearan, porque no vomitaban. Es que era permanecer en el coche en un trayecto de más de quince minutos, y ponerse a llorar y no parar hasta bajar, por muchos juguetes que les dieras, canciones que cantaras o baches en que cayeras.

Para mí, es de lo peor que te puede pasar. Sobre todo si no hay copiloto que pueda dar, por lo menos, apoyo moral. Ante la inutilidad de parar (¿calmarle para que se ponga a llorar otra vez nada más al sentarlo?), opto por la huida hacia delante y llegar lo antes posible para sacarle del coche. Entonces es cuando encuentras todos los semáforos en rojo y todos los embotellamientos posibles.

Al principio, le hablas con tono tranquilo, luego, hasta te enfadas, aunque sabes que es un bebé y que no sirve de nada. Al final, te callas y aguantas el regaño, o subes la música a tope para no desconcentrarte del todo mientras conduces. El colmo del desastre: estar perdido en la M-40 con tres niños en el asiento de atrás y siendo uno de ellos un bebé que no para de llorar.

La mamitis
Dícese de esa fase que empieza entre los siete u ocho meses, y que dura hasta los dos años, en la que el niño sólo quiere estar con su madre. Pero de forma exagerada. Te sigue, te reclama, llora cuando te vas o cuando lo carga otra persona, incluso su padre.

No la pasan todos, ni con la misma intensidad. David, por ejemplo, siempre ha sido un poco más de papitis, y no recuerdo más que una corta etapa, hacia los nueve meses, en la que lo llevaba colgado al cuello todo el rato como a un monillo porque no me soltaba.

En realidad, es un momento totalmente normal de su evolución e indica que ha tenido un apego seguro, que ha desarrollado contigo un vínculo afectivo fuerte. Así que si su figura de referencia es el padre, supongo que el niño tendrá papitis, y si es la abuela, abuelitis.

Natalia y Elisa tuvieron mamitis. De hecho, a Elisa todavía le quedan algunos rastros. Cuando es leve, es bonito, porque se le ilumina la cara cuando te ve, notas que es absolutamente feliz a tu lado, y, claro, te da un subidón. Es ahí cuando miras burlona a tu pareja como diciendo: «Toma ya, me prefiere a mí».

Pero cuando le da fuerte, llega a ser agobiante. Te persigue por toda la casa. Si intentas que se vaya con otra persona porque estás ocupada, se niega y llora. Sólo quiere que tú le ayudes a vestirse, a bañarse, a comer. Que acudas cuando se despierta de noche. Cuando tienes que salir, se agarra de tu pierna, al cuello, llora y grita que no te vayas.

Todo un dramón. Te vas con el corazón encogido, sintiéndote culpable de dejarlo así. Luego te dicen que al poco de irte, se calmó y se quedó tranquilo. Pero, claro, eso no lo ves.

Cortarles las uñas de los pies

Cuando son bebés, en cuanto le agarras el dedito, se activa el resorte y lo encogen, con lo cual es dificilísimo llegar a la uña. Además, tú estás todo nervioso, pensando que al mínimo movimiento en falso, lo vas a mutilar de por vida.

Cuando crecen, activan otro resorte con sólo acercarles la tijera, sin llegar a tocarlos: «¡Me haces daño, mamá!». «Pero si no he empezado». «¡Buaaaaaaaaaaaa, no, no, no, me haces daño!» «Pero si todavía no he cortado...» «Ayayayayay, ¡dueleeeeee!» Hasta que te hartas y sueltas, no como amenaza, sino como advertencia: «¡Si no te pones quieto, te voy a cortar un dedo de verdad!».

Al final, lo mejor sería que fueran como Natalia, que hasta hace unos meses se comía no sólo las uñas de las manos, sino también las de los pies. Nunca llegué a verla en plena acción contorsionista, pero el caso es que en casi tres años no tuvimos que preocuparnos por su manicure ni su pedicure, siempre tenía todas las uñas sospechosamente cortas. Ahora debe de ser que ya no llega con tanta facilidad a los pies, porque se las tenemos que cortar.

Por desgracia, no todos se las arreglan solos, así que hay que seguir con la lucha. «¡Ayyyyyyyyyyyyyyyyyyyyyyyyyyyy!»

Intentar que se laven los dientes

Son los diez minutos más tensos de la noche. Entre los momentos dulces de ver la tele en familia y el cuento antes de dormir, hay que conseguir que tres pequeños se laven los dientes de verdad, en vez de comerse la pasta y juguetear con el cepillo. David y Natalia tienen ya una técnica bastante depurada, pero al mínimo lo evitan, de modo que, para que lo hagan en condiciones, hay que contar hasta diez mientras se dan en cada lado o animarlos en plan: «¡Qué bien, enseñen a Elisa cómo se hace!».

Elisa lo quiere hacer todo sola, pero aún le cuesta, así que todas las noches hay que pelearse con ella y practicarle una llave inmovilizante para que se deje ayudar. Antes, eso sí, se comió la pasta, y puede que tengas que rescatar el cepillo de cualquier rincón donde lo haya dejado en el único momento en el que no la vigilabas. Si tiene pelusa, mejor que mejor.

Buscar piojos y liendres

Cada otoño-invierno, junto con la colecta de hojas secas para decorar la guardería o el colegio, la fiesta de la castaña, la lluvia y el frío, aparecen por casa las notitas de los maestros: «Por favor, se han detectado piojos en algunos alumnos, revisen bien las cabezas de sus hijos». Eso cuando no te dicen directamente que tu hijo es portador y te sugieren que lo encierres en un gulag hasta que el problema esté resuelto.

Brrrrr, qué grima te da cuando te encuentras un bicho negro, de un tamaño considerable —los he visto como moscas de grandes—, en el pelo de tu precioso retoño. De momento, toco madera, sólo hemos tenido tres infestaciones, y no graves, con María y con Natalia. De hecho, la última vez los cogió María en un viaje de estudios a los quince años, lo que demuestra que no se puede bajar la guardia.

Afortunadamente, se resolvieron con un tratamiento de farmacia (importante reaplicar a la semana o a los quince días, el plazo que indique el fabricante del producto, para matar a posibles piojos recién nacidos de liendres resistentes), la búsqueda manual (como los monos en el zoo, sólo que sin comerme los hallazgos) y con un ligero corte de pelo posterior (si hubiera sido David, le hubiéramos rapado y listo).

A Natalia la tuvieron varios días en clase con un gorro de lana puesto, se ve que era la política de la guarde para evitar contagios. Espero que lavaran bien el gorro entre víctima y víctima, porque si no, sería como darles a los piojos un teletransportador gratuito.

Creo que siento más desagrado por todo lo circundante a este asunto que al despioje de la cabeza propiamente dicho. Porque, además de tratar al niño, tienes que lavar con agua caliente las sábanas, las fundas de los cojines, de las almohadas y del sofá, y todo lo susceptible de haber entrado en contacto con la cabeza portadora. Los peluches los aislamos en bolsas de plástico en el lavadero durante un par de semanas, para dar tiempo a que se muriera todo lo que pudiera quedar impregnado en ellos. Y también es recomendable revisar los asientos del coche.

Con Natalia descubrimos el aceite de árbol de té como preventivo. Es un botecito que se compra en los herbolarios y que huele ligeramente mentolado. Se añaden unas gotitas al bote de champú; nosotros, además, añadimos dos o tres gotas directamente en el pelo cuando se enjabonan. Y para los días que no se lo lavan, tenemos un botecito con varias gotitas disueltas en agua. No sé si será casualidad, suerte o que realmente es efectivo, pero desde que lo usamos, no hemos vuelto a tener visitas indeseadas en nuestras cabezas.

Vómitos nocturnos

Ya comenté en un capítulo anterior lo divertido que resulta limpiar el vómito que se introduce en todas las rendijas del coche. Un momentazo que sólo compite con la gestión de los vómitos nocturnos.

Todo empieza con unos ruidos raros que se dan en mitad de la noche. Una especie de ataque de tos, pero diferente. Si tu mente dormida consigue procesar el sonido lo suficientemente rápido como para hacer que te levantes de un salto, llegues a la habitación del niño en la oscuridad, lo tomas al vuelo sin partirte la espalda esquivando la barrera de la cama, corras hasta el baño y levantes la tapa del inodoro, puede que evites el desastre.

Pero eso sólo pasa cuando tienes mucha suerte o mucho entrenamiento. Probablemente, para cuando te hayas levantado a ver qué pasa, la cama ya esté toda llena de vómito. Y cuando digo *toda*, es toda, con todo lo que hay en ella: funda nórdica, sábanas, almohada, pijama, pelo, si es niña, y peluches.

No hay nada mejor que hacer a las cuatro de la mañana. Acompañar a Natalia, sujetarle el pelo mientras vomita, alternar luego con un poco de diarrea y vuelta a vomitar. Y, después, a cambiar la cama y poner la lavadora, para que no se solidifiquen los restos. Es más divertido aún cuando la enferma comparte habitación con sus hermanos e intentas no despertarlos. Y para darle emoción, lo puedes hacer contrarreloj, pensando que en menos de una hora te va a sonar el despertador para levantarte e irte a trabajar.

Enseñarles a compartir y a no pegar

Hacia el año, tu pequeñín empieza a socializar con otros niños. No a socializar de verdad, porque todavía es muy pequeño. En realidad, sólo hace caso a los otros niños para fijarse en sus juguetes y quitárselos, o darles empujones o mordiscos. Entras en una fase cansina de la crianza: la de enseñar a compartir y a no pegar.

Es cansina porque se repite varias veces cada tarde en el parque. Es odiosa porque acabas por no saber si intentas educar a tu hijo o ganar un óscar a la mejor interpretación para no quedar mal ante los demás padres.

Cuando enseñamos a compartir, la mayoría de los padres solemos ser contradictorios. Por un lado, insistimos a nuestro hijo en que tiene que prestarlo todo: «Venga, déjaselo un ratito a fulanito, que hay que compartir», decimos en cuanto otro niño muestra interés en algo que tiene el nuestro. Da igual que sea su juguete favorito, que sepamos que va a llorar, que fulanito no le haya dejado sus cosas hace cinco minutos. Hacemos por lo menos la finta de intentar convencer a nuestro hijo de que se lo preste al otro, aunque a veces solo insistimos lo necesario hasta que los otros padres dicen: «No pasa nada; venga, Fulanito, juega con tu cubo, que para eso lo bajaste». Es el código no escrito para relajarnos.

Pero cuando sucede lo contrario, que nuestro pequeño es el que quiere el juguete de fulanito, le enseñamos que no se coge lo de los demás sin permiso: «Hijo, suelta eso, que es de fulanito y lo está usando. Anda, toma tu pelota». ¿Por qué no le decimos a fulanito que lo comparta? Porque... eso es labor de sus padres, que tienen que pelearse con él para no quedar mal ante nosotros. Lo dicho, un infierno esto de la socialización... Pero para los padres.

Con lo de no pegar pasa algo parecido. Todos sabemos que es una fase por la que atraviesan muchos niños. Pese a ello, da vergüenza que tu hijo sea el pegón, así que cuando le pega a otro, sobrerreaccionamos: «¡Muy mal! ¿Cuántas veces te he dicho que no se pega? ¡Ve a darle un abrazo a fulanito y pídele perdón, y estás castigado!».

Si te toca ser el padre de fulanito, es decir, del golpeado, probablemente intentes rebajar la agresión: «No pasa nada, uy, si no le ha hecho daño, así espabila». Aunque por dentro piensas: «Que no se nos vuelva a acercar ese niño asesino, menudo peligro».

Las tareas

David está en primero de primaria. Y ya tiene tareas. El curso pasado, traía de vez en cuando algún libro para leer o alguna ficha, pero sólo si no le había dado tiempo de terminarla en clase. En cambio, ahora, como ya es mayor, pues tiene tareas.

La profesora de lengua y matemáticas les entrega cada lunes seis hojas para hacer a lo largo de la semana, y un cuento para leer en dos semanas, con su correspondiente ficha. A veces, la profe de inglés y *science* nos manda el libro de la asignatura para repasar el vocabulario de la lección.

Nosotros intentamos que haga una hoja por día. Los días que está más fresco, hace hasta dos o tres con relativa facilidad, y suele leer el cuento la primera semana. Pero muchas tardes llega cansado, después de una jornada de clases tan larga como la nuestra y alguna extraescolar, y le apetece jugar, ver la tele o simplemente holgazanear. Y lo veo perfectamente normal.

Entonces, llega la tortura. Se enfada y llora. Al final se desgana y se bloquea, y un ejercicio que normalmente haría en diez minutos le cuesta la vida. Nos sentamos uno de los dos con él para supervisar, porque aún se come letras al escribir o se equivoca en alguna cuenta, y a veces no entiende los ejercicios. Y resulta que esto de ayudar en las tareas no es tan fácil.

Lo peor es tener que lidiar con su mal humor y con el nuestro, el que se nos va poniendo cuando, después de explicárselo tres veces, sigue sin entender un ejercicio que a nosotros nos parece que está facilísimo. O cuando no le sale algo que ha hecho un montón de veces. «Pero ¿no lo ves, David? ¡Tienes que ordenar las primeras letras de cada palabra para hacer otra palabra!» Un día de estos, nos contestará, con toda la razón: «¡Claro, sabelotodo, pero es que tú tienes 40 años y yo seis!».

No estoy radicalmente en contra de poner tareas, pero creo que a los seis años es demasiado pronto. ¿Tú tenías tareas para casa a esa edad? Yo desde luego no los recuerdo. ¿No son suficientes seis horas de clase diarias para aprender lo que necesitan? ¿Te imaginas que todos los días tuvieras que trabajar una hora más en casa para fijar conocimientos y adquirir una rutina de trabajo?

Los niños españoles dedican un tercio más de tiempo a las tareas (6.5 horas semanales) que la media de los países de la OCDE (4.8 horas), pero obtienen peores resultados, según el informe PISA de 2012, que explica que no existe una relación significativa entre horas de deberes y resultados. Es decir, hay países con excelentes notas, como Singapur, donde se hacen más de diez horas semanales de tareas, pero en otros, como Finlandia, no llegan a las tres.*

Como ves, hay debate sobre la conveniencia o no de mandar tareas, sobre todo en primaria. Y aparte del tiempo excesivo que quitan para realizar otras actividades también necesarias, como jugar, hacer deporte y descansar, otro de los argumentos de los detractores es que las tareas en casa fomentan las desigualdades, algo que por lo menos la escuela pública debería evitar. Y es cierto.

Nosotros vamos a un colegio público de los mal llamados *bilingües*, en los cuales, aparte de las clases de inglés, se imparten dos asignaturas más en ese idioma. No sé cómo se las arreglarán los padres que no saben inglés, que son bastantes en nuestro colegio, para ayudar a sus hijos a repasar el vocabulario. Porque aquí no basta con leer lo que dice en el libro, como en matemáticas o lengua. Si no entiendes las frases, o no sabes cómo se pronuncian, difícilmente vas a ayudar a tu hijo. A mí, que llevo toda la vida dando clases, me cuesta a veces... A ver cuántos de ustedes saben cómo se dice *conserje*, *pestañas* o *apio* en inglés... Pues David, con seis años, se lo ha tenido que aprender. Y yo con él.

Las actuaciones infantiles

Esto va a sonar a frase de muy mala madre, pero las actuaciones infantiles son... una molestia. Me refiero a esas decenas de funciones de teatro, recitales de coro, exhibiciones deportivas, que nos tenemos que tragar año tras año porque, por alguna razón, decidimos apuntarlos a un montón de extraescolares. Y también a esas actuaciones o fiestas organizadas por el colegio en las que los pequeños se disfrazan y se aprenden un baile o una canción, y, claro, cómo no vas a ir a verlos.

A ver, yo empecé con mucha ilusión, como todos. Lo prime-

* <www.elmundo.es/espana/2013/12/30/52c1930022601d065b8b4 57e.html>.

ro que nos tocó fue la ceremonia de *graduación* de David de la escuela infantil, con dos años y medio. Todos los padres y algunos abuelos de los 40 niños de esa edad de la guarde, cámara en mano, intentando captar cómo los pequeños, la mayoría acobardada, esperaba con un birrete de cartón en la cabeza a que sus profes les dieran un diploma. Era al aire libre, hacía calor y estábamos un poco apretados, pero pegando saltos para esquivar a los padres más altos y empujando un poco podías llegar hasta tu hijo y grabar tan magno acontecimiento. Además, hubo papas y refrescos, así que no estuvo mal.

Después, y hablo de David porque es el que ha terminado ya el kinder, pero sé que me tocará lo mismo con Natalia y Elisa, me he aventado: tres fiestas por el día de la Paz (una cada curso), tres de carnaval y tres de San Isidro (el patrón de Madrid). Con la particularidad de que en nuestro colegio no se celebran en un salón de actos o en cada clase, sino que tienen lugar en uno de los patios. Como bajan varios cursos, a veces todo el colegio, a los padres no nos dejan entrar, supongo que para no colapsarlo. De modo que nos apretamos todos, fiesta tras fiesta, detrás de las vallas exteriores para intentar atisbar a nuestro pequeñín entre varios cientos de ellos.

Está casi tan atestado como la Semana Santa en Sevilla, con decir que hay hasta gente que se lleva escaleritas de mano o ve el acontecimiento desde los balcones cercanos. En carnaval, a menos que hayas sido original en el disfraz, tienes que adivinar cuál es el tuyo por los zapatos, porque casi todos los niños van de Spiderman y casi todas las niñas de princesa. Igual pasa en San Isidro, cuando van casi todos con el mismo traje de chulapo o chulapa (una de las clases castizas de Madrid a finales del siglo XIX y a principios del siglo XX, que buscó diferenciarse de la élite afrancesada a través de la vestimenta) del bazar.

Cada celebración me digo: «Esta vez no voy, porque, total, no se ve nada, el niño no se entera de que has ido, y sueles congelarte de frío —el día de la Paz, en enero, y carnaval, en febrero— o asarte de calor —San Isidro, en mayo». Para darle más emoción al asunto, siempre amaga con llover, así que después de pedir el día en el trabajo o de salir corriendo y quedarte sin comer para llegar a tiempo, te dejan una hora con la duda de si se celebrará fuera o lo harán dentro, con lo cual no puedes verlo ni desde la valla.

Sólo ha sido realmente bonito dos veces: la primera Navidad, que cada clase de tres años cantó para los padres en su aula, y la *graduación* después de tres cursos de kinder. Y, ambas, porque se celebraron en la clase con la maestra, y los padres pudimos ver y escuchar de verdad a nuestros pequeños, y ellos vernos a nosotros.

Este año, por si no teníamos suficiente con las celebraciones del colegio, hemos incorporado las exhibiciones de las extraescolares. Natalia cantó villancicos en el coro, en una pequeña sala atestada, y menos en las dos canciones en las que le tocaba a su grupo, el resto del tiempo estuvo mirándose las mangas y comiéndose el pelo. David hizo ejercicios de gimnasia en un pabellón enorme del polideportivo. Desde la grada, a varias decenas de metros, intentabas adivinar cuál de los niños que daban la voltereta para adelante era el tuyo. Pero todo sea por su autoestima.

18
PEQUEÑOS CAMBIOS ABSURDOS
QUE COLONIZAN TU VIDA

«Si se acaba el mundo y no sale en Disney Junior o Clan, no me enteraré».

BEATRIZ, madre de Salva, de dos años y dos meses

Todo este libro trata, en realidad, de los cambios que se producen en tu vida cuando tienes hijos pequeños. Algunos son grandes, importantes, trascendentes o, sin serlo, nos preocupan y ocupan a la mayoría de los padres durante gran parte del tiempo en estos primeros años. Pero otros muchos son pequeños, anecdóticos, aunque, sin darte cuenta, llega un momento en el que descubres que han colonizado tu día a día. Aquí van algunos.

Las peleas por pulsar todos los botones pulsables

Desde hace años, cuando salgo de casa con alguno de los niños, pero, sobre todo, cuando voy con varios de ellos, no pulso jamás el botón del ascensor. Ni el de la luz del garaje. ¿Suena absurdo? Qué va. Es de lo más sensato que hemos hecho desde que decidimos que era buena idea tener tres hijos.

Ya se pelean bastante entre ellos por pulsar cualquier interruptor pulsable como para que entre yo a competir. Y no te creas que si tienes sólo un niño estás salvado. Desde que cumplen año y medio, más o menos, y alcanzan los interruptores, se empeñan en darles una y otra vez. Y pobre de ti si había algo que apretar y le das tú primero.

Tenemos tal pánico que, cuando estamos Eduardo y yo solos y hay que pulsar algo, nos miramos con aprensión, no vaya a ser que el otro se enoje porque le has dado antes al botón.

Pero mis niños deben de estar madurando. Lo notamos porque últimamente, con mayor frecuencia, nos encontramos con que, de pelearse a diario hasta el punto de que había que organizar repartos de botones («David, llama al ascensor; Natalia, dale al botón del sótano; Elisa, tú enciendes la luz»), han pasado a la indiferencia absoluta. Salimos de casa y, cuando llevamos un par de minutos los cinco en el rellano, nos damos cuenta de que nadie le ha dado al botón. Y no estamos a oscuras porque la luz del descanso se enciende sola al notar movimiento, porque si fuera por ellos... Así que paciencia, todo llega.

Olvídate de ganar

A todos nos gusta ganar. Aunque sea a la oca. Pues olvídate de ello durante una buena temporada. No importa que tengas un instinto competitivo asesino, queda anulado ante la fuerza de un berrinche infantil.

Para entrenarte, empiezas bajando el ritmo en cualquier juego con el pequeñín, porque si no, sería demasiado desigual. De modo que practica para correr más despacio que cuando vas andando, para dar patadas a la pelota y que ruede muy despacito, para esconderte de forma que te vean, y para hacerte el ciego y el sordo si te toca a ti buscar en el escondite, aunque al preguntar retóricamente: «¿Dónde estará Natalia?», una inocente vocecita conteste: «Aquíiiii, debajo del banco...».

Ya puedes pasar al siguiente nivel del perdedor: si el niño es portero, te tienes que esforzar para chutar de forma que el balón simule cierto riesgo, pero que pueda pararlo. Y si lo eres tú, tienes que dejar pasar la pelota, pero sin que se note mucho. Es todo un arte. Y al mismo tiempo, calcular mentalmente para, de vez en cuando, pararle alguna o meter tú un gol. Lo suficientemente a menudo como para que crea que es una competición reñida.

Lo mismo se aplica a los juegos de mesa, a no ser que sean de pura suerte. Tu estrategia consiste en no hacer la mejor jugada posible, en ir tirando de forma que parezca que están más o menos igualados, para luego perder. Lo malo es que, con más de un niño, aunque tú te quites de en medio, no puedes evitar que uno de ellos gane. Y ya la tienes complicada.

De tararear el último *hit* a cantar «Bob Esponja»

Estás en el trabajo, o en el autobús, o haciendo las compras. De pronto te das cuenta de que llevas un rato tarareando o cantando para ti. ¿Algún tema de tu grupo favorito? Sí, ya se deben de haber retirado hace siglos. ¿Una canción de la última vez que saliste de noche? Ejem, eso sería allá por el Pleistoceno. ¿Algo contagioso de la radio? Qué va, ni eso. Lo que tienes metido en la cabeza, sin venir a cuento, sin siquiera tener al niño cerca, es: «Vive en una piña debajo del mar». Ahora tú: «Bob Esponja, Bob Esponja...».

¿Qué nos ha pasado? Nuestro repertorio se ha llenado de canciones pegajosas y repetitivas, desde el CantaJuego hasta los dibujos. Ahora mismo, conforme escribo, estoy cantando interiormente: «Mochila, mochila, mochila, mochila, ¡síiii!».

Sin embargo, este daño colateral de la paternidad es, en realidad, un castigo autoimpuesto. Porque, si te fijas, a los niños, incluso a los muy pequeños, les gusta todo tipo de música. Basta ver el furor infantil que causa el *Gangnam style*. Elisa, como muchos otros bebés, hacía con las manos el famoso baile del caballo con quince meses y decía algo parecido a *namatai* para pedir que se la pusiéramos. Quizá este ejemplo sea como salir de Málaga para meterse en Malagón, pero también les gustan otras canciones no dirigidas específicamente al público infantil o a adultos borrachos de fiesta.

Solo hace falta acostumbrarlos desde pequeñitos. Nuestros últimos *hits*, basados en nuestros trayectos en coche, que es donde más música escuchamos con ellos, son todo el disco *Babel*, de Mumford & Sons, y *Run Rudolph Run*, un villancico totalmente roquero de Keith Richards.

A ellos les pasa igual que a nosotros. Si escuchan suficientes veces una canción, se acaban enganchando. Aunque sea de adultos.

Coleccionismo infantil

Recuerdo que de pequeña tenía todos mis dientes de leche en una cajita. Sería porque mis padres, cuando llegaron de Taiwán, no conocieron al ratoncito Pérez. El caso es que, cuando se me caía un diente, no lo ponía bajo la almohada, sino que lo guardaba. Y de vez en cuando los miraba. Un poco asquerosillo, pero inofensivo.

Ahora me toca a mí lidiar con el afán de coleccionismo de mis niños. Han pasado por la fase de recoger palos y piedras, un clásico cuando tienen dos o tres años y normalmente fácil de gestionar, porque cuando se descuidan los tiras y no se suelen dar cuenta. Lo malo viene cuando son algo más grandes, porque no solo guardan, sino que, además, recuerdan.

Las cosas que les interesa guardar son totalmente insospechadas. Crees que estarán entusiasmados por conservar unos dibujos, unas conchas de la playa, unos collares de macarrones que hicieron en el campamento. Y no se dignan ni mirarlos.

Pero se empeñan en guardar todos los frutos que han cogido de los setos del pueblo en vacaciones. Unos huesecitos de un día que comimos costillas, y se quedaron muy lisos y relucientes. Las pinzas de las cigalas que nos pusieron en la cena de fin de año. Es decir, cosas que no quieres conservar bajo ningún concepto, porque sospechas que en algún momento encontrarás, podridas, en un cajón de los juguetes.

Con David, que es el más aficionado al coleccionismo biológico, he conseguido llegar a acuerdos. Se guarda uno, sólo uno, y envuelto en un papelito en el congelador. Alguna vez lo abre, y echa un vistazo a su huesecito y su pinza. Un año, cuando se olvide definitivamente de ellos, me encargaré de que acaben donde deben estar.

Redecora tu hogar

Este lema, de una famosa marca de muebles, nos viene que ni mandado a hacer. En cuanto se quedan embarazados, piensan cuál va a ser el cuarto del niño y, si pueden, lo amueblan y decoran. Pero convertir una casa de adultos en una casa con niños es mucho más que poner cortinas y juegos de cama con dibujitos infantiles en un dormitorio pintado en tonos pastel.

No hace falta que corran, pueden esperar a que el bebé se empiece a mover, allá por los siete meses. Para empezar, guarden todos los adornos caros o rompibles. El jarrón de porcelana, el centro de mesa, el buda sobre el estante de la tele. ¿Que no llegan? Ya llegarán.

Después, acostúmbrense a los elementos de seguridad: tapaenchufes, esquineras de gomaespuma para los picos de las mesas, cierres antiniños que normalmente aprenden a abrir antes que tú... Ya los quitarás, piensas. Años más tarde, descubres que algunos de estos elementos dejan después unas manchas indelebles de pegamento en tu mesita del salón, la que estaba tan mona y elegante cuando la compraste.

Pero esas manchas no les importarán mucho, porque ya se habrán acostumbrado a las de las paredes, esas cuyos colores eligieron con tanto cuidado cuando se mudaron. El tono melocotón del comedor ya no es lo mismo ahora que está salpicado de manchas de algún puré o de marcas de deditos. La mezcla amarillo suave del recibidor todavía tiene marcas de las ruedas de la carriola, aunque ya no lo usamos desde hace meses. Y el cuarto de los niños, ese con una combinación salmón-lila, de ese mejor no hablo.

Por suerte, las manchas de la habitación quedan tapadas por la exposición de dibujos. Porque ésa es otra. Hay que fomentar su creatividad, y qué mejor forma de hacerlo que pintando. Pero ¿tanto? Dos o tres dibujos por día, por niño. Multiplica. Y de esos cientos de dibujos que hacen al año, quieren colgar varios por casa. ¿Y por qué no? Así que una pared de su cuarto está empapelada de miniobras de arte. Y la puerta. Y otra pared de nuestro dormitorio, que conquistaron en un momento de debilidad.

Pero no es lo único que encontrarán pegado por toda la casa. La puerta de su armario, así como los cristales del mueble de la tele, rebosan de colorido con decenas de estampas. De personajes de dibujos, pero también de las que traen las frutas.

¿Qué me dejo en esta nueva decoración del hogar? Los juguetes desperdigados, olvidados aunque hayan recogido su habitación: un muñeco aquí, una naranja de plástico allá, el carricoche de las muñecas en medio del pasillo... Y eso cuando no tienen directamente su espacio fijo en una zona del salón, como he visto en casa de algunos vecinos.

Aparte de los juguetes, por todos lados encontrarán cositas que les recuerdan que ya no viven solos: ligas y pinzas del pelo de las niñas, una crema que tienen en el salón para que no se les olvide echársela por las mañanas, una caja de pañuelos de papel porque siempre hay alguien con mocos... En fin, renuncien al orden y la limpieza absoluta si no quieren ser unos infelices.

Fiebre de manualidades y costura

La maternidad ha despertado en mí un extraño afán creativo que no se corresponde con mis habilidades manuales, más bien escasitas. Yo era de las que sacaba calificaciones sobresalientes en todo menos en gimnasia y manualidades. De las que apretaba tan fuerte la tela del *petit point*, por lo nerviosa que me ponía la aguja, que quedaba toda sudada y arrugada. De las que raspaba tanto con la cuchilla cuando se me había corrido el punzón que agujereaba el papel. De las que no sabe ni en qué dedo va el dedal.

Y ahora me veo empeñada en crearles a los niños disfraces caseros, como el de árbol de Navidad hecho con tela y adornos de verdad pegados. O decorando calabazas de Halloween, porque en nuestro colegio es una tradición. O inventándome técnicas para cada vez que a uno de los niños le toca el libro viajero.

Hablando del libro viajero... Es la mejor muestra de que esto de las manualidades es un tema serio. Y de que los primeros años, son, en realidad, tareas para los padres. Lo compruebas cuando tu hijo sale un día de la guardería superilusionado porque te tocó esta semana. La maestra te entrega una bolsa gigante con un libro o cuaderno bastante grueso, y explica: «Nada, es muy fácil, tienes que poner una canción que le guste al niño y decorar la página, y la semana que viene lo traes y lo vemos todos en clase». Y piensas: «Ah, qué fácil».

Hasta que lo abres. Ojeas las páginas que han hecho los otros padres antes que tú, porque, obviamente, los niños no saben aún dibujar la *o* con un canuto, literalmente. Y te encuentras un despliegue de técnicas manuales que no conocías. Los hay que te incluyen un sobre con el CD grabado. Otros que ponen solapas que se levantan, que pegan figuritas de plastilina o hacen una obra de diamantina. Y, lo mejor, los que saben usar el foami. Esas planchas finas como de goma de distintos colores, que se recortan y superponen y quedan superaparentes. Y tú que pensabas resolverlo escribiendo la letra de *Susanita tiene un ratón...*

Acaba de salir de casa mi quinto libro viajero, entre David y Natalia. Hasta ahora, hemos tenido que hacer una canción, un cuento, una página de adivinanzas, el fin de semana con *Pulpo* —otra modalidad, en la que te llevas a casa el peluche-mascota de la clase y tienes que tomarle fotos al niño con él y contar lo que hicieron aderezado con muchos: «¡Lo hemos pasado genial!»— y, el último, una receta de cocina. Poco a poco, vamos mejorando nuestra técnica. No llegamos al nivel de las madres profesionales, pero creo que nos salen cosas originales y dignas.

Sonrían para la foto

Las fotos familiares antiguas, esas de estudio en blanco y negro, me llaman la atención porque todos los que salen en ellas aparecen muy formales y serios. Supongo que no era costumbre sonreír, y que se sacaban en otros tiempos, en los que si no te ponías serio cuando lo decía el señor fotógrafo, te daban un buen zape.

Ahora, cada vez que nos queremos sacar un retrato familiar, añoro esos tiempos. Porque, total, aunque puedas hacer cientos de fotos para luego elegir una, nunca consigues la perfecta. Y acabas de tan mal humor que, al final, nadie sale sonriente. Y no repartes zapes a diestra y siniestra porque te falten ganas, sino porque te contienes.

Hace un par de Navidades, intentamos sacarnos una todos vestidos con suéteres rojos de renos para mandársela a María, que estaba estudiando en Estados Unidos. Después de muchos intentos, le enviamos una en la que, más que felicitarla, parecía que la estábamos amenazando de muerte. Y era la mejor.

Se empieza de buen rollo. «Venga, niños, pónganse aquí, que vamos a tomarnos una foto todos juntos.» Primer intento. David sonriente, Natalia con los ojos cerrados, Elisa mirando para otro lado. Segundo intento. David sonriente, Natalia con cara de susto, Elisa con la mano delante de la cara. Tercer intento. El sonriente se empieza a aburrir y a hacer el tonto. Natalia se enfada porque la está molestando. Elisa mira a la cámara y sonríe. A buenas horas. Cuarto intento. David, enfadado porque lo regañaron. Natalia, enfadada porque la regañaron. Eduardo, enfadado después de regañarlos. Yo, con los ojos en blanco. Elisa en su onda. Y así, podrías tirarte horas. Al final, después de quince tomas, decides seguir adelante con lo que haya.

Ah, y un consejo, nunca le digas a un niño de estas edades: «Sonríe para la foto», a no ser que quieras un álbum de muecas en las que enseñan mucho los dientes, que es lo que los pobres entienden que hay que hacer para salir risueños.

Esclavizada por *Pou*

Tres veces al día, miro el celular. Bueno, en realidad, lo miro muchas más veces. Pero tres veces al día, por lo menos, lo miro para ver si mi *Pou* está bien. ¿Mi qué? Mi *Pou*, un bicho triangular con ojos y boca al que tengo que dar de comer, limpiar, con el que tengo que jugar y poner a dormir. Vamos, que ahora que ya no tengo bebés tamagotchi, tengo uno cibernético.

La cosa empezó con la visita de mi cuñada, Rosario, que tenía uno en su celular para entretener a sus otros sobrinos. Y, claro, a David, Natalia y Elisa les hizo gracia, y, como es una aplicación gratuita, la descargué. Nunca viene mal un jueguecito para momentos de crisis.

Resultado: si estoy en casa y hay que dar de comer o asear al bicho, llamo a los niños para que lo hagan. Pero la mayoría de las veces lo acabo haciendo yo porque es más rápido y así me evito las peleas. Tampoco es que ellos se acuerden de que hay que darle de comer o cuidarle.

Y cuando no estoy en casa, o ellos están durmiendo, lo hago yo también porque no lo puede hacer nadie más. Así estoy, esclavizada por un triángulo virtual que come y caga. Eso sí, la caca es de lo más simpática, ¡tiene hasta ojos!

Y no sólo eso. Hasta me preocupo de que tenga una alimentación variada. De hecho, come bastante más fruta y verdura que mis hijos.

¿Que por qué no lo dejo morir o desinstalo la aplicación? Caray, es que pone una carita de pena cuando lo olvidas unas horas... Hasta tirita... ¿O será que tengo deseo de bebés?

Digo «jopeta»

Lo de que los niños repiten todo lo que oyen es totalmente cierto. En serio. Si no tienes hijos, te hace mucha gracia y, al principio, si los tienes, también. Pero cuando te das cuenta de que un día has dicho una palabrota y tus pequeñines la repiten sin parar, ya te empieza a resultar menos divertido.

Puedo ser muy malhablada cuando quiero. En determinados ámbitos, o cuando hablo para mí, parezco una camionera. Pero en casa, y sobre todo con los niños delante, me contengo. Aunque la cabra tira al monte, y a veces se me escapa un «joder» o un «carajo». Da igual que sólo sea una vez, estás perdido. Su pequeña mente recoge el taco, lo procesa, se da cuenta de que es una palabra fea, entiende en qué contexto se usa y lo aplica, y para más guasa, correctísimamente.

David tuvo una temporada de «joder» a todas horas y Natalia una de «carajo» como panes. También tuvo un par de días de «me cago en la leche» y de «te voy a matar» (eso no lo decimos nosotros, lo juro, no sé si lo ha visto en la tele o lo ha oído en el colegio).

Ahora que llevo varias semanas diciendo «jopeta» y «ostras», como una buena princesa Disney, hemos conseguido que se olviden una temporada de los tacos. Solo nos queda la obsesión de David por nombrar partes de la anatomía en dos de cada tres frases. Incluso jugando a las palabras encadenadas: «Mamá, no me sé ninguna que empiece por *ta*, solo por *te*: *teta* y *tele*». ¿Qué tendrá en la cabeza?

Tengo un blog

Puede que lo mío sea más bien deformación profesional, y es que siempre me ha gustado escribir. Por eso, cuando se empezaron a potenciar los blogs en el *El País*, propuse uno sobre temas de crianza, un nicho poderosísimo en Internet y que no se trata mucho en el periódico. Al poco de proponerlo, otros periodistas con hijos se apuntaron a escribir en él. Un compañero, Manu Cuéllar, se inventó el juego de palabras del título, «De mamas & de papas» (<blogs.elpais.com/mamas-papas/>), así, sin acentos, para que pronunciado suene como el grupo de música.

Así nació nuestro blog, en el que tratamos temas que nos interesan, que nos surgen en el día a día con nuestros hijos o historias curiosas que nos llegan por otro lado. Pero, igual que éste, en España hay muchos, cientos de blogs, algunos de padres, pero sobre todo de madres, sobre las cuitas cotidianas con nuestros hijos.

Quizá la maternidad actual, esa de la que tanto se habla, sin una tribu que nos acompañe y nos aconseje, desata en muchas la necesidad de contar lo que nos pasa, lo divertido y lo frustrante, de desahogarnos, de buscar consejo y ayuda, aunque sea con desconocidos en Internet. También de intentar ayudar, orientar a otras con lo que hemos aprendido por el camino. Muchas acaban entablando verdaderas amistades que pasan de ser virtuales, en las redes sociales, a reales, con congresos y salidas para poner cara y voz a otras madres.

Algunas han convertido, además, la maternidad en una oportunidad para cambiar de vida y emprender negocios relacionados con esta etapa: ropa, mochilas portabebés, pañales ecológicos, pasteles, asesoramiento en lactancia... Y otras hasta escribimos libros.

19
MOMENTOS PRESUNTAMENTE FELICES CON NIÑOS

«Estar en el parque a las 19:30-20:00, ver que es super-
feliz jugando, y tú ahí de pie, agotada del trabajo o de
la semana, pasando un frío de mil demonios y sonriendo simplemente por ella».

CATARINA, madre de Claudia, de veintidós meses

Antes de tener hijos, idealizas algunos momentos y actividades, y los etiquetas de felicidad infantil y/o familiar. Puede que sea por las películas, las series, los anuncios, los libros de crianza o por las mentiras de tus amigos con hijos. En realidad, muchos de estos momentos son estresantes, decepcionantes o, directamente, un infierno. Aunque algunas veces están bien y, quizá, justamente, qué casualidad, sea esa ocasión la que cuentan las películas, las series, los anuncios, los libros de crianza y los relatos de tus amigos con hijos. Aquí van algunos de ellos.

El baño, ese momento relajante para tu bebé

El mayor engaño de los últimos veinte años. ¿Invento de los geles de baño, de lociones hidratantes o de patos de goma, quizá? El caso es que, en cuanto te enteras de que esperas un niño, empiezan a llegarte mensajes sobre «ese momento relajante para tu bebé» que, para variar, tiene que ser diario, cerca de media hora antes de acostarle, y acabar con un masaje con cremita. Y vas tú y te lo crees.

Primer día, en el hospital: estás aterrorizada ante la idea de que ese diminuto ser que probablemente esté berreando se te resbale al meterlo en el agua, cuando llega una enfermera, te lo quita de las manos, lo carga sin ningún miramiento y, antes de que te haya dado tiempo a recuperarte de la impresión, lo bañó, lo secó y te lo devolvió diciendo: «¿Ves qué fácil? La próxima vez te toca a ti».

Al día siguiente, sigues aterrorizada, pero ya has visto, por cómo lo ha cargado la enfermera, que no se rompe. Sales del paso como puedes, y piensas que ya tienes experiencia y que dentro de nada será un momento relajante para tu bebé que creará un vínculo indisoluble entre ustedes. Lo de los llantos y gritos mientras lo intentas debe de ser algo de los primeros días.

Cuando ya es un poquito más grande, tu bebé puede optar por dos caminos: efectivamente, le encanta el agua, pero no para relajarse como en un spa, sino para chapotear, salpicar y jugar, con lo cual el drama en el momento de salir está asegurado o sale tan excitado que no hay forma de que duerma después; o bien puede que el baño siga sin gustarle ni pizca, como al principio, y continúen los llantos, los gritos y las peleas antes, durante y después de entrar.

Un poco más adelante, el momento del baño suele conllevar que hay que dejar de jugar y ponerse a recoger, con lo cual las broncas también están garantizadas en este caso. Uno de los diálogos típicos en los hogares con niños es: «Cariño, ve recogiendo que es hora de bañarse». «No me quiero bañar» (eso si tienes suerte y no te responden con indiferencia). Este diálogo se repite a intervalos de cinco minutos hasta que, al final, el adulto, enojado, pega un grito y el niño, de mala gana, se baña.

Súmale, si eres un poco tiquismiquis con la limpieza, el estrés que te generan cuando empiezan a salpicar fuera de la bañera, y te ves fregando el suelo una y otra vez.

Pero nos han vendido que el baño diario es un momento clave de la jornada. Incluso te lo dice el pediatra. Hasta el día en el que le llevas al niño porque tiene dermatitis. Entonces, te dice que es mejor para la piel NO bañarlo cada día. Y aparte de querer matarle, recuerdas cómo en tu infancia te duchabas una o dos veces a la semana, y en clase tampoco olía especialmente a tigre.

Desde que hemos decidido bañar a los niños cada dos o tres días, siempre que no estén sucios o sudados, somos mucho más felices.

Charlas animadas en torno a la cena

Otro de los mitos que se te caen cuando tienes niños pequeños es el de las cenas, ese momento en el que toda la familia se reúne en torno a la mesa, se cuentan lo que ha pasado durante el día y se ríen mientras los niños aprenden, siguiendo el ejemplo de los padres, modales, y a comer de todo y supersano. Nueva mentira.

Lo más probable es que a tu niño le aburra soberanamente la conversación de los adultos. Así que le intentas integrar en la charla pidiéndole que te cuente qué tal le fue en el colegio. Entonces, ese lorito que no se calla ni debajo del agua durante el resto del día, te despacha con un «bien». Y sus respuestas siguen siendo igual de lacónicas a cada nueva pregunta. Pero si intentas retomar la charla con tu pareja o con otro de los hermanos, empezará a interrumpir sin parar.

Probablemente, al mismo tiempo tú estés poniéndote cada vez más nervioso porque, en lugar de comer, golpea con los cubiertos, da vueltas a la comida en el plato, se saca trozos que no le gustan, coge comida con las manos o tira el agua. Y, aunque odiabas cuando te lo hacía tu madre, le regañas por poner los codos sobre la mesa, sentarse mal o cualquiera de las cosas anteriores.

La agradable charla durante la cena se convierte en una retahíla de reconvenciones, y eso si es de los que comen bien. Si, además, el niño se resiste, tienes que encontrar un hueco para intercalar la frase «sigue comiendo» entre los «no juegues con la comida», «con las manos no», «usa la servilleta», «los codos fuera, que esto no es un bar».

Ésta es la segunda etapa, tras la hora del baño y seguida del lavado de dientes antes de acostarse, del viacrucis de la tardenoche en las casas con niños.

Niños que no te dicen «te quiero» sino que planean tu muerte

En las películas, los niños dicen, espontáneamente o en momentos clave: «Te quiero, papá/mamá». En la realidad, a veces lo hacen. Pero otras veces dicen cosas que te hacen dudar de si tienes en casa a unos pequeños psicópatas. Porque en la nuestra, salvo Elisa, que con poco más de dos años es extrañamente empática, David y Natalia son más bien lo contrario. Eso sí, prácticos son un rato. Como cuando David, al ver pasar una mujer en silla de ruedas con motor y explicarle yo que probablemente la señora tenía una enfermedad o había sufrido un accidente, me preguntó: «Mamá, si a ti te pasa eso, ¿me podrás llevar encima?».

Esta otra conversación también es totalmente verídica:

DAVID (jugando a juegos de brutotes): ¡Uaaaaaaaaaa! ¡Te voy a matar!

MAMÁ (en modo didáctico): Eso que dices está muy feo. ¿Sabes qué pasa cuando alguien se muere? Que ya no está nunca más, ni puede moverse, ni hablar, ni comer, ni jugar. Imagínate que mamá ya no está.

NATALIA (en modo listilla): Claro, David, ¿y quién nos va a hacer la comida? Bueno, yo sé hacer pasta fresca: pones agua, echas la pasta y ya está.

DAVID (en modo amoroso-macabro): Cuando se mueran papá y tú, voy a poner vuestros cuerpos embalsamados en el sofá.

No, Natalia no ha cocido nunca pasta fresca sola, aunque la teoría parece que la tiene clara. Y no sé en qué conversación aprendió David lo que es un cadáver embalsamado. Pero me vienen a la cabeza películas como *Los chicos del maíz* o *¿Quién puede matar a un niño?* Escalofrío.

El primer cumpleaños

Hace tanta ilusión... Ya sabes que no se va a enterar de nada, pero tienes la secreta esperanza de que sí. Además, cómo no vas a celebrar su primer cumpleaños... Miras catálogos, buscas por Internet hasta dar con el juguete perfecto que lo estimule a más no poder. Encargas el pastel, preparas los aperitivos, le vistes con el conjunto nuevo. Si eres la madre, te vistes también con el conjunto nuevo. Si eres el padre, simplemente te vistes.

Llegan los invitados, que suelen ser un montón de adultos —abuelos, tíos, algún amigo— y algunos niños. Los mayores te dicen lo mono que está. Si los niños son grandes, se aburren en un cumpleaños de bebés y cogen cosas que no deberían o interrumpen sin parar. Si son pequeños, deambulan como pueden, con lo cual sus padres y tú se limitan a hablar en modo automático y telegráfico mientras van controlando a sus respectivos retoños.

Llega el momento del pastel. Tu bebé pone cara de susto. No sabe soplar la vela. Llega el momento de los regalos. Tu bebé no sabe abrirlos. No le hace ni caso al juguete superestimulante. Con suerte, se entretiene con las bolas de papel de regalo. Si coge algún juguete, otro niño invitado se lo quita y lo hace llorar. Te indignas por dentro con ese malvado ladronzuelo aunque le digas a sus padres: «No pasa nada, dejen que juegue».

Te debates entre atender a los invitados correctamente y lograr que el homenajeado no coma demasiados gusanitos, y lo pase más o menos bien y no sólo se agobie o se sobreexcite. Un momentazo de estrés. Y todavía queda recoger.

Tus primeros cumpleaños como padre

¿Casualidad? ¿Designios infantiles malvados? ¿Falsas expectativas? El caso es que, desde que soy madre, casi todos mis cumpleaños han sido horribles. No es que espere que los niños vengan de un salto a besarme a la cama por la mañana mientras Eduardo me trae el desayuno. O que quiera que me regalen tiernas manualidades preparadas con mucho amor a escondidas. Pero tampoco hace falta que cada año mi cumpleaños coincida con un concierto de llantos, rabietas y peleas de esos que crispan los nervios.

En realidad es, simplemente, que a determinadas edades los niños no entienden que es un día especial para ti. Y si lo entienden, no lo recuerdan durante tooooooodo el día. Así que se portan como niños pequeños. Y si toca un día de esos en los que un bebé de cuatro meses no para de llorar y no sabes por qué, como me pasó en mi primer cumpleaños como madre, pues toca. Y si toca un día en el que están especialmente cansados o picajosos y se oponen a todo, pues toca.

El problema son tus expectativas. Que piensas, irracionalmente, que, como es tu día, se deberían portar bien y todo debería salir estupendo. Quizá, por la ley de Murphy, es entonces cuando todo se tuerce. Como ejemplo, el relato que me hizo mi compañero Javier de su último aniversario:

Querido diario: hoy era mi cumpleaños. Y fue genial. Para empezar, aunque no tenía que trabajar, me levanté a las siete para llevar a los niños al colegio. Después de luchar con ellos un rato, a la hora de salir, ya tarde, el pequeño se cagó encima. Maravilloso. Por la tarde, me quedé con los niños en la calle, jugando. Al mayor lo tiró al suelo el hijoputa *de Marquitos, que es un bruto. El pequeño se volvió a cagar. A la hora de la cena, al mayor no le gustó el pescado. Una hora comiendo y trozos de pescado por todas partes. Al pequeño le dio una reacción alérgica, y su cara pasó por fases en las que se parecía a Georgie Dann. No hizo falta ir a urgencias.*

En fin, mucho mejor pensar que todo va a salir mal. Así, sólo puede ir mejor.

Los primeros Reyes. Y los segundos. Y los terceros...
Repito lo que acabo de decir con respecto al primer cumpleaños del bebé: es inútil lo que hagas, no se entera todavía. A ti te hace mucha ilusión porque son los Reyes, pero a él no, y no porque sea republicano. Y el segundo año es igual. Y si intentas llevarle a ver a Papá Noel o a un rey mago en un centro comercial, lo más probable es que se muera de miedo y se ponga a llorar. O que se aburra en la fila.

Pero da igual. Tú, los abuelos y los tíos le comprarán con toda la ilusión grandes regalos a los que dedicará, con suerte, cinco minutos, y se te llenará la casa de trastos.

El punto de inflexión llega a los tres años más o menos. Con la inestimable contribución de los profesores, probablemente ya le ha entrado en la cabeza que por Navidad vienen unos señores indeterminados, vagamente descritos como *Reyes Magos*. También va teniendo gustos propios y, si cometes el error de dejarle relacionar los conceptos *pedir regalos a unos señores* y *catálogo de juguetes*, puede que te lo pida todo.

O no. Las Navidades en las que David tenía cuatro años, le preguntamos decenas de veces qué quería pedirles a los Reyes. Lo único que pedía era un deseo bonito e irrealizable: una litera más grande en la que pudiera dormir toda la familia junta. Así que no sé qué es mejor, que te salgan consumistas desaforados o tan comedidos que no tengas la oportunidad de demostrarles que los Reyes existen y que les traen lo que piden.

También es la edad en la que puedes empezar a amenazar con eso de: «Cuidado, que los Reyes lo ven todo». Ya, ya sé que está feo chantajear y amenazar a un niño con que *Big Brother* lo vigila y no le traerá regalos si se porta mal. Pero ¿quién puede resistirse a pasar, por unas semanas, la carga de ser el poli malo a unos señores que están tan tranquilos en Oriente?

Pero, ojo, incluso cuando ya creen, muchas veces se limitan a abrir los juguetes, constatar que les han traído (o no) lo que pidieron, jugar cinco minutos, y a otra cosa. Claro que para llegar a ese momento, tú te habrás tirado cerca de una hora abriendo y quitando plásticos, bridas, celos y alambres bajo su inquisidora e impaciente mirada, preguntándote a dónde se creen los fabricantes que se van a escapar las muñecas o los coches si no los atan de esa forma. Igual es que han visto demasiadas veces *Toy Story*.

Deseando que vuelvan al colegio

No me miren mal. Pero a veces, después de un fin de semana, o de los tres primeros días de vacaciones, tengo ganas de que vuelvan al colegio. No es que no me guste estar con mis hijos, pero ¡es tan agotador! Y los días sin colegio ¡son tan largos!

Al principio, cuando tienes un bebé pequeñito, quieres pasar todo el tiempo del mundo con él. Te cuesta un montón volver al trabajo, igual hasta te pides una excedencia para alargar el tiempo en casa. Pero cuando al final van a la guardería o al colegio, y pasado el sufrimiento inicial..., redescubres un mundo en el que hay tranquilidad, en el que de vez en cuando hay silencio, en el que no tienes que estar permanentemente pendiente de satisfacer a un ser pequeñito para el que lo eres todo.

Otra cuestión es que se habla mucho del período de adaptación de los niños al colegio. Pero es que ¡también necesitan un período de adaptación a los días sin colegio! De tener una jornada perfectamente estructurada, en la que hay hasta horas fijas para ir al baño, pasan, los fines de semana, a tener doce horas a su libre disposición, en las que da mucho tiempo a aburrirse, enfadarse, jugar, mancharse, ver la tele, volver a aburrirse y a enfadarse...

Desde el punto de vista de un adulto, son doce horas de jugar y pensar en cosas que pueda hacer para que no se aburra, de planificar las comidas de las que te librabas porque se quedaba en el comedor, de limpiar lo que ensucia, de vigilarle para que no lo complique todo, de decirle que haga esto o no haga aquello... Vamos, de ser padre, pero durante doce horas *non-stop*.

Los míos por lo menos necesitan varios días para adoptar cierta rutina vacacional, relajarse y dejar de estar, como dicen muchas madres, «pesaditos». Y, claro, en un fin de semana no da tiempo a que se adapten. Si son vacaciones, solemos pasar por un inicio tenso, antes de adaptarnos los unos a los otros y a estar tanto tiempo juntos. Después viene una fase intermedia dulce, y durante los últimos días reaparece cierta tensión. Ahí es cuando se dice eso de: «Qué falta te hace ya volver al colegio».

Un día, charlando con mi compañero Jorge, que tiene cuatro hijos de entre seis y trece años, le dije, ilusa de mí: «Y tú, ¿qué? Ya estás saliendo del pozo, ¿no?». Yo, inmersa en plena fase bebés, pensaba que con unos niños tan grandes como los suyos, ya no se las tendría que ver con esas cuitas cotidianas que a mí se me hacían tan pesadas. «Del pozo no se sale nunca, Cecilia», me contestó categórico.

Y tenía razón. A lo largo de estas páginas, he intentado avisarte de todas esas cosas que suceden en una familia real con niños pequeños, desde que son bebés hasta que cumplen cinco o seis años. Cosas cotidianas, a veces tiernas y divertidas, a veces crispantes o cansinas, y en conjunto agotadoras. Muchos días tenemos la sensación de que simplemente sobrevivimos y deseamos con ahínco que crezcan para dejar atrás esta fase. Tanto que se nos olvida detenernos y disfrutar. Porque nunca más volverán a tener un mes, un año, cuatro o seis, con todo lo malo y lo bueno que cada edad conlleva.

Somos unos ilusos y creemos que, cuando pase esta etapa, nos podremos relajar y disfrutar de verdad de ser padres. No somos conscientes de que estos problemas son como la materia, que ni se crea ni se destruye, sólo se transforma.

Así que, cuando dejes atrás el pecho, los biberones, las carriolas, los pañales, los purés, la limpieza de culos, las rabietas, la exigencia de atención constante..., te esperarán las peculiaridades de los siete, de los ocho, de los nueve años, y, de repente, ya estarán en la preadolescencia y, luego, horror y pavor, en la adolescencia. Echarás la vista atrás y ni recordarás lo que te angustia ahora. Sólo te acordarás de lo adorables, simpáticos y manejables que eran.

Y después vendrán los veintitantos y la preocupación por si encontrarán trabajo y pareja, y los treintaitantos y, quizá, los nietos, y los cuar... Siempre te preocuparás por ellos, porque siempre los querrás. Por eso, una vez que te tires al pozo y tengas hijos, no volverás a salir. Como mucho, asomarás de vez en cuando la cabeza. Así que sólo te queda disfrutar de este largo largo baño.

AGRADECIMIENTOS

Me han ayudado en este largo, largo, parto muchos padres y madres con sus experiencias, anécdotas y opiniones. Y me han confirmado que todos, en algún momento, nos sentimos dentro de un hondo pozo, aunque ya no sabríamos vivir fuera de él. Gracias a Eva, Isabel, Alberto, Montse, Blanca, Iván, los Apple Boys y «L@s loc@s de "El médico de mi hij@"» por darme ideas y ánimos.

A Eduardo y a Victoria, por leerme y atreverse a aconsejarme.

A mi madre, Teresa, y a mi suegra, María Jesús, por contarme cómo fue criarnos a los que ahora somos padres. ¡Y por no decirme todo lo que piensan de cómo lo hacemos!

A David Figueras, por confiar en mí y animarme.